Janet W Phyde.
purchased on Kihzi Island
sept 4 1996

Кижи

Прогулка по острову

Kizhi

Strolling about the Island

Kishi

Spaziergang rund um die Insel

Виктор Грицюк

КИЖИ
Прогулка по острову

Фотоальбом

Акционерное общество
„КАРПОВАН СИЗАРЕКСЕТ"
Петрозаводск 1994

Viktor Gritsyuk

KIZHI
Strolling about the Island

Photoalbum

Wiktor Grizjuk

KISHI
Spaziergang rund um die Insel

Fotoalbum

Вступительная статья
Бориса Гущина, Виолы Гущиной

Оформление
Владимира Лобанова

Перевод на английский
М.О. Севандер

Перевод на немецкий
В.В. Дудкин

Introduction by
Boris Gushchin, Viola Gushchina

Designed by
Vladimir Lobanov

English translation
M. Sevander

Herausgegeben von
Boris Guschtschin, Wiola Guschtschina

Gestaltung von
Vladimir Lobanow

Deutsche Übersetzung von
W. Dudkin

$$К\frac{4911010000 - 002}{У - 33(03) - 94}$$

ISBN 5-88165-002-6

Борис Гущин
Виола Гущина

Boris Gushchin
Viola Gushchina

Boris Guschtschin
Wiola Guschtschina

КИЖИ
В БЛИКАХ ИСТОРИИ

GLIMPSES OF
KIZHI HISTORY

KISHI IN GESCHICHTLICHEN
RÜCKBLICK

„Заонежская Эллада"… Так называли путешественники кижские окрестности.

Живописные острова.

Уникальные строения.

Красивый, трудолюбивый народ.

На одном из многочисленных островов Кижских шхер Онежского озера воздвигнут известный далеко за пределами Карелии архитектурный ансамбль.

Около трех веков живет он в полном согласии с водными просторами, безбрежными лесными далями и огромным сводом неба.

Природа и архитектура. Этот союз здесь ничем не нарушен.

Выбор места для ансамбля не случаен.

Он поставлен на древней земле, где совершались языческие обряды (в переводе с вепсского и карельского языков слово „кижат" означает „игрища").

„The Hellas of Zaonezhye"… That is how travellers referred to the Kizhi surroundings.

Picturesque islands.

Unique buildings.

A handsome industrious people.

On one of the numerous Kizhi skerry islands stands an architectural ensemble known far and wide beyond the boundaries of Karelia.

For three centuries it has existed in complete harmony with the water plains and endless forest expanses and the great canopy of heaven.

Nature and architecture. Nothing has broken this union.

The site for the ensemble was not chosen by chance.

It went up on ancient lands, where heathen rites were held (translated from Karelian and Vepsian the word „kizhat" means „games").

The Kizhi folks' forbears were migrants from Novgorod. In the X —

„Hellas von Saoneshje"… So nannten Reisende die Umgebung von Kishi.

Malerische Inseln.

Einmaligen Bauten.

Ein nettes fleissiges Volk.

Auf einer der vielen Inseln der Kishier Schären des Onegasees ist ein architektonisches Ensemble errichtet worden, das weit über die Grenzen Kareliens bekannt ist.

Etwa drei Jahrhunderte besteht es in voller Harmonie mit uferlosem Wald, mit Wasser- und Himmelweiten.

Die Einheit der Natur und Architektur ist hier durch nichts gestört.

Die Wahl des Ortes war natürlich kein Zufall. Das Ensemble ist an dem Ort entstanden, wo früher Heiden ihre Riten und Spiele abhielten (aus dem wepsischen und karelischen übersetzt heisst „kishat" „Spielerei").

Die Ahnen der heutigen Bevölkerung von Kishi waren Umsiedler aus dem Grossen Nowgorod. Im X. und XI.

Предками современных кижан были переселенцы из Великого Новгорода. В X — XI веках они начали осваивать северные края, заселенные финно-угорскими племенами.

Новые земли привлекли их обилием пушных зверей в дремучих лесах и многочисленными озерами, богатыми рыбой; обилием железной руды в недрах и путями к северным морям.

Энергичные, предприимчивые поселенцы корчевали леса, заводили пашни и покосы.

Земледелие здесь давалось нелегко — слишком камениста местная почва.

В XII — XIII веках земли южной Карелии вошли в состав Новгородской феодальной республики.

Одной из мер укрепления своего влияния на местных жителей новгородцы считали христианизацию края.

Первое упоминание о массовом крещении карел относится к 1227 году.

К середине XV века новгородские бояре и церковь сосредоточили в своих руках большую часть земель Карелии.

Знаменитой посаднице Марфе Борецкой, например, принадлежало свыше 700 деревень, из них 29 — в Кижском погосте.

Погост был основной административной единицей в Новгородском государстве.

XI CC they began developing northern parts populated by Finno-Ugric tribes.

They were irresistibly drawn by the bounty of fur-bearing animals in the slumbering forests, by the numerous lakes that abounded in fish by the plenty of iron ore in the bowels of the earth and the northern seaways.

The energetic enterprising settlers rooted out forests, cultivated arable lands and fields to grow hay.

Первое графическое изображение Кижского погоста. Гравюра Р. Зотова из книги Н. Я. Озерецковского „Путешествие по озерам Ладожскому и Онежскому". 1792 г.

The first graphic image of the Kizhi Pogost. An etching by R. Zotov from N.Ya. Ozeretskovsky's „A trip along lakes Ladoga and Onego". 1792.

Erste graphische Darstellung des Pogost von Kishi. Eine Gravüre von R. Zotow aus dem Buch von N.J. Oserezkowskij „Reise über den Ladoga- und Onegasee". 1792.

Agriculture didn't come easy in these parts — Karelian soil was too rocky.

In the XII — XIII CC the lands of Southern Karelia fell into the hands of the Novgorod feudal Republic. The Novgorodians considered christenization one of the means to enhance their

Jahrhundert begannen sie die Territorien anzueignen, die von ugro-finnischen Stämmen bevölkert waren.

Neue Länder zogen durch Überfluss an Pelztieren im dichten Urwald, durch viele an Fisch reiche Seen, durch grosse Eisenerzvorkommen, durch Wege zu nördlichen Meeren an.

Tatkräftige unternehmungslustige Umsiedler rodeten Wälder, legten Ackerfelder und Mähwiesen an.

Der Ackerbau fiel hier nicht leicht — der Boden war zu steinig.

Im XII. und XIII. Jahrhundert wurden südliche Territorien Kareliens Bestandteil der Nowgoroder feudalen Republik.

Als eine der Massnahmen zur Stärkung ihres Einflusses auf die hiesige Bevölkerung betrachteten die

В XV веке в заонежских погостах большинство деревень состояло из одного-двух дворов.

Небольшие участки земли позволяли вести хозяйство силами одной патриархальной семьи, иногда достигавшей 30 человек.

После присоединения Новгорода к Московскому государству (1478 год) деревни в кижской округе были „отписаны на государя" вместе с жителями.

Множество непосильных тягот и разорений вынесли на своих плечах жители обонежских погостов.

В середине XVII века правительство возложило на крестьян охрану порубежных деревень от шведской интервенции. Кижский земледелец стал „пашенным солдатом". Тысячи местных крестьян погибли в битвах с иноземцами, отстаивая свои каменистые нивы.

Новая кабала ждала крестьян в конце XVII века в связи с зарождением в крае железоделательной промышленности. Кижан насильно гнали на заводские работы, отрывая их от земли и хозяйства.

6 апреля 1695 года кижские окрестности огласил набатный звон: крестьяне „учинили бунт и у церкви Преображения... собирались из деревень... с дубьем и кольем".

Возглавил крестьян , отказавшихся повиноваться указу о приписке к заводам, посадский

influence on the local population. The first mention of mass baptizing of Karels was made in the year 1227.

By the mid-XV C. most Karelian lands were taken over by Novgorod boyars.

The well-known posadnitsa Marfa Boretskaya, for instance, owned over 700 villages out of which 29 belonged to the Kizhi Pogost.

This Pogost was the hub of a large administrative center.

In the XV C. all villages of the Zaonezhye Pogosts consisted of one or two farmsteads.

Small plots, fit for planting, enabled patriarchal families of up to 30 people to run their households.

When Novgorod was joined to the State of Moscow (1478), all villages situated on Kizhi lands and the peasants too became property of the czar.

The population of the Zaonezhye Pogosts endured numerous backbreaking hardships.

In the mid-XVII C. the government laid the responsibility on local peasants to protect the villages along the Northern border which had been devastated by Swedish invaders. The Kizhi peasant came to be what was called „a ploughing soldier".
Thousands of local peasants perished in battles against foreign invaders, defending their rocky soil.

In the late XVII C. a new yoke awaited the peasants in connection with the emergence of iron production in these parts. Kizhi men were

Nowgoroder die Christianisierung des Landes.

Die erste Erwähnung einer Massentaufe der Karelen geht auf das Jahr 1227 zurück.

Zur Mitte des XV. Jahrhunderts regierten die Bojaren und die Kirche den grössten Teil Kareliens.

Die berühmte Bürgermeisterin (Possadnitza) Marfa Borezkaja, zum Beispiel, besass 700 Dörfer, darunter 29 im Kishier Pogost.

Pogost hiess im Nowgoroder Staat der geläufige Verwaltungsbezirk.

Im XV. Jahrhundert bestanden in Pogosten von Saoneshje die meisten Dörfer aus 1 oder 2 Bauerngehöften.

Grundstücke waren so klein, dass sie sich von einer einzigen Bauernfamilie, die allerdings manchmal bis 30 Mann zählte, bewirtschaften liessen.

Nach der Angliederung Nowgorods dem Moskauer Staat (1478) wurden alle Dörfer in der Kishier Umgegend samt der Einwohner an den Herrscher vermacht.

Viele harte Prüfungen und Verwüstungen mussten die Einwohner der Pogosten von Oboneshje erdulden.

In der Mitte des XVII. Jahrhunderts verpflichtete die Regierung die Bauer den Schutz der Dörfer an der schwedischen Grenze zu übernehmen. Der Bauer von Kishi wurde zu einem „Ackersoldat". Tausende hiesiger Bauern fielen im Kampf gegen Invasoren ihre steinige Felder verteidigend.

Die Entstehung der Eisenhütten industrie im Lande am Ende des XVII.

человек Григорий Тимофеев. Только в 1696 году при помощи стрельцов удалось заставить кижан работать на заводах. Но крепостники не сломили их свободолюбивый дух.

Вновь зазвучали тревожным набатом церковные колокола в годы Кижского восстания 1769 — 1771 годов: кижане стали зачинщиками крупнейшего в истории Карелии крестьянского выступления. На борьбу против заводчиков поднялись русские, карельские и вепсские селения. На многолюдных суемах (собраниях) в трапезных церквей составлялись челобитные с просьбой освободить крестьян от заводской барщины. Крестьяне заявили, что „под заво-дами быть не хотят и работы исправлять не будут".

В ответ на это в апреле 1771 года Екатерина II издала указ „Об усмирении беспокойств, происшедших между олонецкими заводскими крестьянами", в котором угрожала: „Кто из крестьян после данного милостивого увещевания не придет в рабское повиновение, то будет признан за бунтовщика и возмутителя и понесет наказание".

Угрозы не подействовали.
Кижские крестьяне активно выступили против отрядов карателей.

Во главе встал 42-летний Клим Соболев. И только 1 июля 1771

driven by force to work at factories. On April 6, 1695, Kizhi surroundings were awakened by the sound of the Churches' alarm bells ringing: the peasants „had organized a rebellion and… villagers with clubs and stakes… had gathered at the Church of the Transfiguration".

Posadnik Grigori Timofeyev took command of the peasants, who had refused to obey the law conscripting them to factories. Only in 1696 with the help of streltsi were Kizhi men forced to return to the factories. But the feudals couldn't break the peasants' freedom-loving spirit.

Once again the warning of Church bells resounded in the years of the Kizhi uprising — 1769 — 1771: the Kizhi people came out as the initiators of the most significant in the history of Karelia peasant uprising. Russian, Karelian and Veps villages rose up against the factory-owners. At numerous meetings held in Church refectories petitions were composed demanding to free peasants from factory serfdom. The peasants stated that they „would not be subordinated to factories and work for them".

In April, 1771, Catherine II responded with her Ukaz „On liquidating the restlessness which had broken out among Olonets factory peasants" in which she threatened: „Those of the peasants who after this merciful admonishment will not submit to slavish obedience, will be regarded as insurgents and trouble-makers and

Jahrhunderts bedeutete für die Bauern ein neues Joch. Sie wurden gewaltsam von ihrer Erde und ihrer Wirtschaft losgerissen und zu Eisenhütten getrieben. Am 6. April 1695 ertönte in der Umgebung von Kishi eine Sturmglocke. Sie bedeutete, dass sich die „Bauern aus den naheliegenden Dörfern um die Verklärungskirche… mit Keulen bewaffnet versammelten und meuterten".

Angeführt wurden die Bauern, die sich weigerten, dem sie zur Arbeit in Eisenhütten verpflichtende Ukaz (Erlass) Gehorsam zu leisten, von einem Arbeiter mit dem Namen Grigorij Timofeew. Erst 1696 gelang es, mit Hilfe von Strelitzen die Bauern von Kishi zur Arbeit in Eisenhütten zu nötigen. Aber ihr Drang zur Freiheit wurde ungebrochen.

Wiederholt erschallten die Kirchenglocken in den Jahren des Kishier Aufstandes 1769 — 1771. Ausgerechnet die Bauern von Kishi waren die Anstifter des grössten in der Geschichte Kareliens Bauernaufstandes.

Zum Kampf gegen Eisenhütteninhaber erhoben sich russische, karelische und wepsische Dörfer. In volkreichen Versammlungen in Refektorien der Kirchen wurden Bittschriften um die Befreiung vom Frondienst in Eisenhütten zusammengestellt. Die Bauer erklärten, dass „von Eisenhütten nicht abhängig sein wollen und keine Arbeit machen werden".

года при помощи оружия удалось сломить сопротивление восставших.

В XIX веке Заонежье не потрясали сильные народные волнения, но дух свободолюбия в крестьянстве был так же силен.

Эти настроения сумела выразить в своих произведениях знаменитая народная поэтесса Ирина Андреевна Федосова (1831 —1899 гг.), жившая неподалеку от Кижей, в деревне Кузаранда.

Она была „вопленицей", то есть создавала и исполняла импровизированные причитания на свадьбах и похоронах.

Ирина Федосова выезжала с выступлениями в Москву, Петербург, Нижний Новгород. Ее исполнение произвело неизгладимое впечатление на прогрессивную русскую интеллигенцию.

Творчество Ирины Федосовой высоко оценил А.М. Горький. Мотивы ее причитаний и песен использовали композиторы М.А. Балакирев и Н.А. Римский-Корсаков.

Русское искусство многим обязано Кижам.

В XVIII — начале XIX веков не только жители кижских берегов слышали былины („старины") о древних русских богатырях. Благодаря самоотверженной работе собирателей фольклора П.Н. Рыбникова и А.Ф. Гильфер-

will be subject to punishment". The threats bore no effect.

Kizhi peasants took action against the punitive forces.

42-year-old Klim Sobolev took command. And only on July 1, 1771, was popular resistance smashed with the help of arms.

In the XIX C. Zaonezhye was not disturbed by popular unrest, but the same freedom-loving spirit prevailed and hatred for the czarist regime did not subside. This mood was masterfully expressed in the works of the famous popular poet Irina Andreevna Fedosova (1831 — 1899), who lived in Kuzaranda, in the vicinity of Kizhi.

She was a „wailer", which means that she created and performed improvised laments at weddings and funerals.

Irina Fedosova travelled to Moscow, Petersburg, Nizhni Novgorod. Her performances produced a lasting impression on progressive Russian intelligentsia.

Maxim Gorki gave a high estimation of Irina Fedosova's art. Motifs from her wailings and songs were set to music by composers M.A. Balakirev and N.A. Rimski-Korsakov.

Russian art in many ways is indebted to Kizhi. In the XVIII and early XIX CC not only people living along the Kizhi shores heard the bylinas (legends of yore) about ancient Russian heroes. Thanks to the unstinted efforts of such folklore collectors as P.N. Rybnikov and

Darauf erliess Katarina die Zweite den Ukaz „Über Stillegung der Unruhen unter Werkbauern von Olonez", wo sie unter anderem auch drohte: „Wer unter den Bauern nach dieser gütigen Ermahnung nicht untertänigst Gehorsam übt, der wird als Rebelle und Meuterer angesehen und gestraft".

Die Drohung hatte keine Wirkung.

Die Bauern von Kishi trotzten aktiv den Straftrupps.

An ihrer Spitze stand der 42. Jährige Klim Sobolew. Und erst am 1. Juli 1771 wurde der Widerstand gebrochen.

Im XIX. Jahrhundert gab es in Saoneshje keine grosse Bauernaufstände, aber der Freiheitsdrang der Bauern war immer noch stark.

Die berühmte Volksdichterin Irina Andrejewna Fedossowa, die in der Nähe von Kishi im Dorf Kusaranda lebte, vermocht es in ihren Werken diese Stimmungen zum Ausdruck zu bringen. Sie war ein Klageweib („woplennitza"), das heisst sie improvisierte und trug ihre Lieder bei Hochzeit — und Totenfeiern vor.

Irina Fedossowa trat auch in Moskau, Petersburg, Nishnij Nowgorod auf. Ihr künstlerisches Können übte auf die liberale russische Intelligenz einen unauslöschlichen Eindruck aus.

Das Schaffen von Irina Fedossowa hat A.M. Gorki hoch eingeschätzt Einige Motive ihrer Lieder benutzten die Komponisten M.A. Balakirew und N.A. Rimskij-Korsakow.

Die russische Kunst hat Kishi viel zu

динга Заонежье прославилось как заповедник героического эпоса.

В Кижах до сих пор помнят местных крестьян — творцов и исполнителей былин, хранителей древних фольклорных традиций.

На кладбище Кижского погоста похоронен основатель династии сказителей Трофим Григорьевич Рябинин (1791 — 1885 гг.).

Одно из самых почетных мест среди кижских сказителей принадлежит Василию Петровичу Щеголенку (1831 — 1899 гг.). Его устные рассказы были переработаны Л.Н. Толстым. Портрет этого замечательного сказителя написал И.Е. Репин.

Обработка былинных напевов увлекла композиторов А.С. Аренского, М.А. Балакирева, А.П. Бородина, М.П. Мусоргского, Н.А. Римского-Корсакова.

Образы былин вдохновляли художников И.Я. Билибина, В.М. Васнецова, М.А. Врубеля, Н.К. Рериха, В.И. Сурикова.

Во все времена остров продолжал жить своей напряженной жизнью.

Земля кижского острова отличается плодородием. Высокие хлеба колосились, подступая к стенам погоста. Жители соседних деревень, расположенных на материке, почитали за счастье иметь надел на острове. Землю берегли и дорожили ею.

Памятником трудолюбию местных землевладельцев стали камен-

Портрет сказителя Т.Г. Рябинина. С гравюры М.В. Ушакова-Песночина

Portrait of folklore narrator T.G. Ryabinin. Reproduced from an etching by M.V. Ushakov-Pesnochin

Portrāt des Sängers T.G. Rjabinin. Nach der Gravüre von M.W. Uschakow-Pesnotschin

Портрет сказителя В.П. Щеголенка. С гравюры М.В. Ушакова-Песночин

Portrait of folklore narrator V.P. Shchegolyonok. Reproduced from an etching by M.V. Ushakov-Pesnochin

Portrāt des Sängers W.P. Schtschegoljonok. Nach der Gravüre von M.W. Uschakow-Pesnotschin

A.F. Gilferding Zaonezhye won fame as the Russian heroic epic preserve.

Kizhi still remembers local peasants — creators and performers of bylinas, custodians of ancient folklore traditions.

Trofim Grigoryevitch Ryabinin (1791 — 1885), the founder of a dynasty of folk tale narrators, is buried in the Kizhi Pogost.

One of the most honoured places among the Kizhi narrators belongs to Vasili Petrovich Shchegolyonok (1831 — 1899). His oral stories were rearranged by L.N. Tolstoi. I.Y. Repin painted the portrait of this famous folk tale narrator.

Bylina melodies caught the fancy of composers who made their musical arrangement — A.S. Arenski, M.A. Balakirev, A.P. Borodin, M.P. Musorgski, M.A. Rimski-Korsakov.

Bylina images inspired many an

verdanken. Im XVIII. — Anfang des XIX. Jahrhunderts konnten nicht nur die Einwohner der Kishier Umgebung Bylinen (Starinen, zu Deutsch etwa „alte Lieder") über alte russische Recken hören. Dank der selbstlosen Arbeit der Folkloristen P.N. Rybnikow und A.F. Gilferding wurde Saoneshje auf einmal als Hort des heroischen Epos berühmt.

In Kishi hat man auch heute noch die hiesigen Bauern — Schöpfer und Sänger der Bylinen, Bewaher der alten Traditionen der Folklore — im Gedächtnis.

Auf dem Friedhof des Kishier Pogost liegt der Begründer der Sängerdynastie Trofim Grigorjewitsch Rjabinin (1791 — 1885) begraben.

Einer der Ehrenplätze hat unter den karelischen Volkssänger Wassilij Petrowitsch Schtschegoljenok (1831 — 1899). Seine mündliche Erzählungen wurden von L.N. Tolstoj umgedichtet. Das Bildnis dieses hervorragenden

ные гряды („ровницы"), выросшие на границах бывших полей из собранных с пашни многочисленных камней.

Маленький остров Кижи был достаточно многолюдным. На протяжении семи километров его длины располагалось девять деревень. В 1920-е годы в них проживало около 250 человек.

Из древних деревень острова Кижи две — Ямка и Васильево — сохранились до наших дней. Обе деревни расположены в средней части острова. Деревня Васильево всегда была малодворной: имела не больше 2-3 домов, а в деревне Ямка меньше 10 дворов не бывало.

В 1930-е годы на острове был организован совхоз „Северная искра". В него входили деревни южного конца и материковой части. Позднее в деревне Ямка был создан совхоз имени В. Куйбышева, существовавший в довоенный период.

В 1941 — 1944 годы остров был оккупирован финскими войсками. Многие местные жители были заключены в концлагеря города Петрозаводска. Активных военных действий в окрестностях острова Кижи не было, но партизаны тревожили финнов постоянно.

В годы оккупации в Покровской церкви возобновилось церковное богослужение для финских солдат. Большой вклад в изучение деревянного зодчества Заонежья

artist — I.Y. Bilibin, V.M. Vasnetsov, M.A. Vrubel, N.K. Rerich, V.I. Surikov.

Throughout the times the Island went on living its strenuous life.

The Kizhi Island soil is known for its fertility. Tall crops with heavy ears of corn approached the very pogost fences. Inhabitants of neighbouring villages, situated on the mainland, were happy to have a strip of land on the Island. They valued the land and took good care of it.

Rows of stones („rovnitsy"), cleared off the fields, piled up on the former land strip borders, and they have become a monument to the industry of local peasants.

The small Kizhi Island was well populated. Nine villages were situated on its seven kilometer length. In the

Künstlers machte I.E. Repin. Von der Arbeit an Bylinenmelodien wurden Komponisten A.S. Arenskij, M.A. Balakirew, A.P. Borodin, M.P. Mussorgstkij, N.A. Rimskij-Korsakow hingerissen.

Bylinenhelden inspirierten zu neuen Gemälden die Maler I.Ja. Bilibin, W.M. Wasnetzow, M.A. Wrubel, N.K. Rörich, W.I. Ssurikow.

In allen Epochen ihrer Geschichte lebte die Insel ein intensives Leben.

Die Erde der Insel Kishi zeichnet sich durch ihre Fruchtbarkeit aus. Ein hochwüchsiges Getreide mit schweren Ähren stand dicht an das die Kirchen von Kishi umgebende Holzgitter. Die Einwohner der benachbarten Dörfer des Festlandes hielten es für Glück, ein Stück Acker auf der Insel zu besitzen. Das Ackerland wurde stets sorgsamst gepflegt.

Последний иконописец Заонежья И.М. Абрамов с женой А.А. Куницыной у своего дома в селе Космозеро. 1947 год. Фото Л.М. Лисенко

Zaonezhye's last icon painter I.M. Abramov with wife A.A. Kunitsyna by their house in the village of Kosmozero. 1947. Picture by L.M. Lysenko

Letzter Ikonenmaler von Saoneshje I.M. Abramow mit seiner Ehefrau A.A. Kunitzina neben seinem Haus im Dorf Kosmosero. 1947. Foto von L.M. Lissenko

внес молодой финский исследователь Ларс Петтерссон, проходивший в этот период службу в оккупационных войсках.

Финские специалисты проявили особый интерес к самобытным проявлениям местной иконописи. Большое количество икон из церквей кижского погоста и других церквей Заонежья было вывезено в Финляндию.

В 1945 году иконы были возвращены.

О последней войне напоминает безымянная могила на острове, расположенная недалеко от ограды Кижского ансамбля. В ней покоятся партизаны, попавшие в засаду при выполнении боевого задания.

Медленно, постепенно набирало силы послевоенное Заонежье. Но колхозная жизнь угасала: раскулачивание, военная разруха, непосильные задания по лесозаготовкам...

В конце 1950-х годов, когда всем сельским жителям выдали паспорта, заонежане начали покидать родные места.

В последние годы некоторые из них стали возвращаться, заводить фермерские хозяйства в надежде на возрождение былого „красовитого" Заонежья. Тянут к себе покинутые деревни местных жителей, оживляя водные маршруты с ранней весны до поздней осени.

Необычайной, магической силой влечет туристов священная земля

1920-s they had a population of 250. Of the old Kizhi villages two still stand up to this day — Yamka and Vasilyevo.

Both villages are in the middle part of the Island. The village of Vasilyevo never had many homesteads: no more than 2-3 houses, while in the village of Yamka there were never less than 10.

In the 1930-s the state farm „Northern Spark" was organized on the Island. It included villages on the

southern end of the Island and the mainland.

Later on the village of Yamka organized another state farm named after V. Kuibyshev. It still existed in the pre-war years.

In 1941 — 1944 the Island was occupied by Finnish troops. Many local inhabitants were interned in Petrozavodsk concentration camps.

Als eine Art Denkmal an den Bauernfleiss ziehen sich die Steinstreifen, die an den Grenzen zwischen Felder aus Steinen zusammengelegt wurden.

Die kleine Insel Kishi war relativ dicht besiedelt. Auf der nur siebenkilometerlangen Insel lagen neun Dörfer. In den 1920-er Jahren lebten dort etwa 250 Einwohner.

Unter den alten Dörfern der Insel Kishi sind zwei Dörfer — Jamka und Wassiljewo — erhalten geblieben. Die

beiden Dörfer befinden sich im mittleren Teil der Insel.

Das Dorf Wassiljewo zählte immer nicht über zwei-drei Bauergehöfte, indem das Dorf Jamka sie niemals unter zehn zählte.

In 30-er Jahren wurde auf der Insel der Sowchos „Ssewernaja Iskra" gegründet, bestehend aus den Dörfern des südlichen Teils der Insel und des Festlandes.

острова Кижи, давшая жизнь Кижскому архитектурному ансамблю.

Впервые древнейший в Заонежье Спасский погост в Кижах упоминается в Писцовой книге 1496 года.

Первое описание церквей дается в Писцовой книге 1616 года: „Спасова Преображения деревянной с папертьми, верх шатровый, и Покрова Пресвятой Богородицы, теплой, тож деревянной". Упоминается и колокольня, стоявшая рядом с церквями.

В самом конце XVII века эти церкви сгорели от удара молнии во время сильной грозы. Возобновление Кижского погоста началось сразу же. На месте свежего пожарища была построена Покровская (зимняя) церковь. Но не ей была уготована роль главного архитектурного памятника Кижского погоста.

Первенство сразу, уверенно и навсегда, утвердила своим появлением в 1714 году двадцатидвухглавая церковь Преображения. Именно она впоследствии определила архитектурно-художественные особенности

Покровской церкви, которая не раз изменяла свой образ, прежде чем обрела современный вид.

Первоначально Покровская церковь строилась клетской, затем, видимо, была переделана в шатровую, и только к середине XVIII

No active military operations took place, but partisans gave the Finns no peace.

In the years of occupation The Church of the Intercession renewed services for Finnish soldiers. At the time a young Finnish research worker Lars Petterssen was serving in the occupation forces. He made a great contribution to studying the wooden architecture of Zaonezhye.

Finnish specialists displayed special interest in the unique nature of local icon-painting. A great number of icons from the churches of the Kizhi Pogost and other Zaonezhye churches was taken to Finland.

In 1945 the icons were returned.

Not far from the Kizhi ensemble fence there is a nameless grave which reminds us of that war. Partisans, who were ambushed in military operations, have found their last resting place there.

Slow but sure post-war Zaonezhye found its bearings. But collective farming was on the decline: dispossession of kulaks in the 1920-s and the 1930-s, war time devastation, back-breaking logging assignments...

In the late 1950-s, when all rural inhabitants were granted passports, Zaonezhye peasants began leaving their native parts.

Recently some of them have started to return to take up farming. They are hoping to restore the beauty of Zaonezhye.

Deserted villages are irresistibly

Später entstand im Dorf Jamka ein Sowchos namens W.Kujbyschew, der in den Vorkriegsjahren existierte.

In den Jahren 1941-1944 war die Insel von finnischen Truppen besetzt. Viele von ihrer Einwohnern wurden in die KZ der Stadt Petrosawodsk eingesperrt. Aktive Kämpfe in der Umgebung der Insel Kishi gab es eigentlich nicht, aber Partisanen liessen den Finnen keine Ruhe.

In der Besatzungszeit wurde in der Pokrowskaja Kirche Lithurgie für finnische Soldaten wiederaufgenommen. Einen grossen Beitrag zur Forschung der Holzarchitektur von Saoneshje leistete ein junger finnischer Wissenschaftler Lars Pettersson, der damals in den Besatzungstruppen seinen Armeedienst machte.

Finnische Fachleute hatten ein besonders grosses Interesse für die Originalität und Urwüchsigkeit der hiesigen Ikonenmalerei. Eine grosse Anzahl von Ikonen aus den Kirchen des Kishier Pogost, sowie aus anderen Kirchen von Saoneshje wurden nach Finnland fortgeführt. 1945 wurden sämtliche Ikonen zurückgegeben.

An den letzten Krieg erinnert ein namenloses Grab, das sich am Holzgitter des Ensembles von Kishi befindet. In diesem Massengrab fanden ewige Ruhe Partisanen, die bei Erfüllung einer Kampfaufgabe in einen Hinterhalt geraten waren.

Allmählig, langsam erholte sich nach dem Kriege Saoneshje.

Aber das Kolchosleben siechte dahin:

века под влиянием Преображенской церкви на ней появилась девятиглавая корона, создавшая необычную гармонию этих двух сооружений.

Третье сооружение Кижского архитектурного ансамбля — стройная колокольня. Она была срублена в 1862 году на месте своей предшественницы, разобранной из-за ветхости.

Нынешний облик колокольня обрела в 1874 году. В ее образе отразилось влияние каменной городской архитектуры второй половины XIX века, но, несмотря на некоторые чуждые народному деревянному зодчеству художественные и строительные приемы (полуциркульные завершения окон и филенчатые двери с тремя ложными порталами), это сооружение придает Кижскому комплексу равновесие и завершенность.

На протяжении 180 лет (с 1694 по 1874 гг.) трудами мастеров разных поколений создавался уникальный Кижский архитектурный ансамбль. Их длительные творческие поиски увенчались появлением шедевра народного деревянного зодчества северной России, получившего всемирное признание.

Преображенская церковь сооружалась в годы Северной войны (1700 — 1721 годы), когда Россия утверждалась на берегах

drawing local inhabitants, and from early spring to late autumn the waterways are lively.

The sacred land of Kizhi Island attracts tourists with an unusual, magic power, a power that is breathing life into the Kizhi architectural ensemble.

In the 1616 Pistsovaya Kniga we find the first descriptions of the Kizhi Pogost — cultic buildings — „The Church of the Transfiguration of our Saviour with wooden parvis, domed roof, and the warm wooden Church of the Intercession", the bell tower is also mentioned.

In the last years of the XVII C. these churches were struck by lightning in a heavy storm and they burnt down. The restoration of the Kizhi Pogost began without delay. The winter church of the Intercession was erected on the fire site. But it wasn't destined to play the main role in the architectural monument of the Kizhi Pogost.

Very soon, in 1714, for once and for all times priority was established by the 22-cupola Church of the Transfiguration. It was this church that determined the architectural artistic peculiarities of the Church of the Intercession, which was rebuilt thrice before it acquired its present-day aspect.

First the Church of the Intercession was built in the shape of a cage, then attempts were made to dome it, but only in the mid- XVIII C under the influence of the Church of the

Сѣверное Зодчество.

Погостъ Кижи, Петрозав. уѣзда. Олонецк. губ. (врем. Петра I). по фот. И. Билибина. 40-03. 2-е изд.

Eglise à Kiji, gouv. Olonetz. (du temps de Pierre le Grand). Phot. I. Bilibine.

Погост Кижи Петрозаводского уезда Олонецкой губернии по фотографии И.Я. Билибина. Почтовая открытка издания Петроградского попечительского комитета о сестрах Красного Креста в пользу общины святой Евгении, не позднее 1915 года. Из фондов Карельского Государственного Краеведческого музея.

The Kizhi Pogost of the Petrozavodsk district, Olonets Province, as photographed by I.Ya. Bilibin. A postcard published by the Petrograd committee patronizing Red Cross nurses, a donation to the Commune of St. Yevgenia, no later than 1915. Courtesy of Karelian State local lore museum.

Pogost Kishi des Petrosawodsker Landkreises des Gouvernementes von Olonez nach dem Foto I.J. Bilibin. Postkarte herausgegeben von Petrograder Komitee für Fürsorge um Krankenschwester des Roten Kreuzes zum Nutzen der Gemeinde der Heiligen Eugenie. Nicht nach 1915. Aus den Fonds des karelischen Heimatkundemuseums.

Балтики; в эпоху бурных петровских преобразований, всколыхнувших все государство. Она стала своеобразным выражением несгибаемого духа и могучего таланта народа. Церковь Преображения на Кижском острове — непревзойденная вершина народной деревянной архитектуры России. В этом сооружении с наибольшей полнотой воплотились лучшие традиции северных плотников, крестьянский идеал красоты, рожденный в повседневном труде, в постоянной связи с полем, лесом, озером, родной избой.

В архитектуре Кижского ансамбля слышатся отголоски язычества, праздничность православия, суровый аскетизм старообрядчества, явно улавливаемый намек на барокко, дыхание культуры коренных обитателей этих мест — карел и вепсов.

Кижи! Здесь соседствуют величие и простота, сила и изящество.

Массивные бревенчатые срубы и легкая резьба слиты воедино. Сказочно красивы кижские церкви в своем вечно праздничном убранстве.

В молодые годы они красовались золотистыми куполами, покрытыми свежевытесанным лемехом из осины. Со временем их главы приобрели благородный серебристый оттенок седины.

Transfiguration did the nine-cupola crown appear and it was this that imparted indissoluble harmony to both structures.

The third structure of the Kizhi architectural ensemble is the slender chapel. It was made of logs in 1862 on the site of its demolished predecessor which was falling into decay.

Преображенская церковь во время ремонта куполов. 1986 год. Фото П.Б. Бойцова

The Church of the Transfiguration when the cupolas were under repairs. 1986. Picture by P.B. Boitsov

Preobrashenskaja-Kirche zur Zeit der Renovierung der Kuppeln. 1986. Foto von P.B. Bojzow

Entkulakisierung, Kriegsruin, untragbare Aufgaben zur Holzbeschaffung…

Ende der 1950-er Jahre, als Dorfeinwohner Pässe bekommen hatten, begannen sie väterliche Häuser zu verlassen.

In den letzten Jahren kehren einige von ihnen als Färmer zurück, um zur Wiedergeburt ihres schönen Saoneshje zu verhelfen.

Verlassene Dörfer haben eine so unwiderstehlige Anziehungskraft, dass die Wasserrouten vom frühen Frühling bis zum späten Herbst belebt bleiben.

Aber eine ganz besondere, ja magische Attraktion ist für die Touristen die heilige Erde der Insel Kishi, die dem Kishier architektonischen Ensemble das Leben gegeben hat.

Die erste Beschreibung der Kirchen ist in der Chronik von 1616 zu finden: „Die Spassowa Preobrashenia (Verklärungs) Kirche ist aus Holz gebaut mit Vorhalle und Kegeldach und die Pokrowa Preswjatoi Bogorodizy — Kirche (die Kirche der Fürbitte ist eine Winterkirche auch aus Holz gebaut)". Es wird auch der Glockenturm neben den Kirchen erwähnt.

Am Ende des XVII. Jahrhunderts brannten die Kirchen von einem Blitzschlag während eines starken Gewitters nieder.

Der Wiederaufbau des Kishier Pogost begann sofort. Auf der frischen Brandstätte wurde die Pokrowskaja (Winter) Kirche gebaut.

Aber nicht sie war zur Rolle des Hauptdenkmals des Kishier Pogost bestimmt.

Годы оставили на древних срубах свои следы. В результате „благолепных поновлений” пластичность бревенчатых венцов была скрыта под унылой тесовой обшивкой, а трепетные переливы осинового лемеха на куполах сменились металлическим свечением жестяного покрытия. Казалось, навсегда исчезла естественная красота дерева.

Значительным изменениям подверглись их интерьеры.

Долгие годы кижские церкви стояли в этом убогом, но по тем временам „модном” наряде.

Лишь через полтора столетия, в 1959 году, они предстали в своем первозданном виде. В трудные для страны первые послевоенные годы (1949 — 1959 годы) на острове велись реставрационные работы под руководством архитектора А.В. Ополовникова. Освобожденные от тесовой обшивки бревенчатые срубы задышали легко и свободно, а купола вновь мягко засветились свежим лемехом.

Но обретение церквями первоначальной красоты не уничтожило собственных болезней древесины, порожденных ее преклонным возрастом, и обернулось новыми проблемами для их дальнейшего сохранения.

Силуэт Кижского архитектурного ансамбля виден задолго до приближения к острову. Он словно царит над округой,

The chapel acquired its present-day appearance in 1874. Its style reflects the influence of urban stone architecture of the second half of the XIX C. But regardless of some artistic and structural details, alien to folk wooden architecture semicircular window completions and panel doors with three false portals equilibrium and completeness.

For 180 years (from 1694 to 1874) the development of the unique Kizhi architectural ensemble went on thanks to the efforts of unknown masters of several generations.

Their lengthy artistic endeavours were crowned by the emergence of a masterpiece of Russian folk wooden architecture and it has won world-wide recognition.

The Church of the Transfiguration was under construction in the years of the Northern War (1700-1721), when Russia was establishing itself on the Baltic coast, in the epoch of stormy Peter the First reforms which rocked the whole country. It became a distinctive expression of the inflexible spirit and mighty talent of the people.

The Church of the Transfiguration on Kizhi Island is an unsurpassed model, the peak of folk wooden architecture. This structure incarnates most fully the best traditions of Russian carpenters, peasant ideals of beauty, born in everyday labour in constant contact with the fields, forests and their izbas.

Als Kernstück des Ensembles behauptet sich sicher und für immer die 1714 gebaute 22-köpfige Preobrashenia-Kirche. Sie war es, die später die endgültige architektonisch-künstlerische Gestalt der Pokrowskaja-Kirche bestimmte, die zeit ihres Bestehens zu wiederholten Malen umgebaut wurde.

Ursprünglich entstand die Pokrowskaja-Kirche als Zellenkirche, dann wurde sie allem Anschein nach in Rundkirche umgebaut und erst gegen die Mitte des XVIII. Jahrhunderts unter dem Einfluss der Preobrashenskaja-Kirche bekam sie eine neunköpfige Krone, was eine einzigartige Harmonie beider Bauten schaffte.

Der dritte Bestandteil des architektonischen Ensembles von Kishi ist der elegante Glockenturm. Er wurde 1862 an der Stelle des früheren baufälligen und aus diesem Zwecke niedergerissenen Glockenturmes gebaut.

In der heutigen Gestalt besteht der Glockenturm seit 1874. In seiner Ausführung ist der Einfluss der städtischen Steinarchitektur der zweiten Hälfte des XIX. Jahrhunderts nicht zu verkennen, aber ungeachtet einiger der volkstümlichen Holzarchitektur fremden Kunst-und Bauelemente (bogenförmige Fenster, Türfüllung mit 3 Scheinportalen) verleiht dieses Gebäude dem architektonischen Komplex Ausgeglichenheit und Ganzheit.

Im Laufe von 180 Jahren (seit 1694 bis 1874) wurde von vielen Generationen der Meister das einmalige architektonische Ensemble Kishi

организуя вокруг себя водное и лесное пространство.

Внимательно присматриваясь к ансамблю, начинаешь различать множество вариантов его силуэтного решения. Церкви то сливаются в единый объем фантастических очертаний, то каждое сооружение демонстрирует себя отдельно.

В памяти народа сохранилась легенда о том, что церковь-красавицу создал мастер Нестор. Построил ее, полюбовался и забросил свой любимый топор в Онежское озеро со словами: „Не было, нет и не будет такой!"

Возможно, что имена подлинных зодчих так и останутся для нас тайной.

Необычайная красота кижских церквей привлекает внимание ученых с давних пор.

Сохранилось первое графическое изображение ансамбля, выполненное Р. Зотовым летом 1785 года во время путешествия с академиком Н.Я. Озерецковским по Ладожскому и Онежскому озерам.

В 1876 году первый исследователь русского деревянного зодчества академик архитектуры Л.В. Даль выполнил обмеры Преображенской церкви.

В 1920 году Кижский архитектурный ансамбль был взят под государственную охрану.

В 1926 году остров Кижи

The Kizhi ensemble architecture carries echoes of heathenism, the festivity of Orthodoxy, the severe asceticism of Old Believers, a barely visible hint at baroque, the breath of the culture of indigenous people of these parts — Karels and Vepses.

Kizhi! Here grandeur and simplicity, power and grace exist side by side.

Huge log frames and light carving merge into one.

The Kizhi churches in their festive attire seem to have stepped out of Fairyland.

In their youth they prided themselves in golden cupolas covered with freshly hewed aspen shingles. Time added a noble silverish colour to them.

But time has also left its telltale traces on the old framework. As a result of „well-intended innovations" the plasticity of the log rows was hidden from view under a dismal layer of boards, while the quivering shades of the cupolas' aspen shingles were replaced by the metallic glow of tin-plated covering. The natural beauty of wood seemed to have disappeared for ever.

The interiors were also subjected to substantial changes.

For years on end the Kizhi churches stood in this squalid garment, which was „fashionable" for the times.

Only after 150 years, in 1959 did they again acquire their original aspect. In the trying postwar years

geschaffen. Als Resultat dieser langen Schaffensarbeit entstand ein Kabinettstück der volkstümlichen Holzarchitektur des russischen Nordens, das überall in der Welt anerkannt wurde.

Die Preobrashenskaja-Kirche wurde in den Jahren des nordischen Krieges (1700-1721), als Russland auf der baltischen Küste Fuss fasste, in der bewegten Zeit der petrischen Reformen, die das ganze Land erschütterten, Sie wurde zu einem Symbol des unbiegsamen Geistes und des Genies des Volkes. Die Preobrashenskaja-Kirche ist eine unübertroffene Spitze der volkstümlichen Architektur Russlands. In diesem Gebäude fanden ihren Niederschlag die besten Bautraditionen der Zimmerer des russischen Nordens, das bäuerliche Schönheitsideal, das sich aus der intimen Verbindung des Menschen mit Feld, Wald und Wasser, mit seinem eigenen Haus.

In der Architektur des Ensembles von Kishi finden sich zusammen Elemente des Heidentums, Festlichkeit der Ortodoxie, asketische Strenge der alten Glaube, merkliche Einflüsse des Barokko sowie die der Kultur der hisigen Völker — Karelen und Wepsen.

Kishi ist ein Zusammenspiel von Majestät und Schlichtheit, von Kraft und Grazie.

Schweres Holzgerüst und durchbrochene Schnitzerei bilden eine Einheit.

Märchenhaft schön wirken die Kirchen in ihrer immer festlichen Ausstattung.

посетил академик И.Э. Грабарь, высоко оценивший искусство зодчих и оказавший помощь в воссоздании интерьеров кижских церквей в последующие годы.

Детальные обмеры кижских церквей были выполнены в 1940 году архитектором Л.М. Лисенко.

В октябре 1945 года Кижский погост был объявлен архитектурным заповедником.

Государственный историко-архитектурный и этнографический музей-заповедник „Кижи" основан в 1966 году, но работы по сохранению и реставрации наиболее ценных объектов деревянного зодчества начались намного раньше. Первый памятник — крестьянский дом — перевезен на остров в 1951 году.

На небольшом пространстве кижского острова представлены церкви, часовни, дома, бани, амбары, кузницы и другие постройки.

Они перевезены на остров из разных деревень Карелии и помогают воссоздать тот исторический фон, который сопутствовал Кижскому погосту в прошлом.

Экспонаты музея-заповедника знакомят посетителей с древней культурой Карелии.

Самый старый памятник музея — церковь Воскрешения Лазаря. Согласно преданию, она была построена во второй половине XIV века на юго-восточном побережье

(1949 — 1959) restoration work began on the Island under the supervision of architect A.V. Opolovnikov. Liberated from boarding the logs began to breathe easily and freely and the cupolas regained the shimmering light of fresh aspen shingles.

But regaining the original beauty of the churches did not destroy the natural diseases of wood, brought to life by its mature age, and this caused new problems for future preservation.

The contours of the Kizhi architectural ensemble are visible long before approaching the Island. They seem to dominate the whole landscape, arranging the surrounding water and forest expanses.

A closer look at the ensemble enables you to differentiate a host of various silhouette solutions. First the churches seem to merge into a unified volume of fantastic figures, then each structure manifests itself to an advantage.

The people's memory has retained the legend of how the Church-beauty was created by master Nestor. Having built it, he admired it and threw his favourite axe into Lake Onego with the words, „Never has there been, there isn't and never will there be anything like it!"

Probably the names of the true architects will forever remain a secret.

The unusual beauty of the Kizhi churches has for long attracted the attention of scientists.

In ihren früheren Jahren prunkten sie mit ihren goldfarbenen mit frischen Espenschuppen ausgelegten Kuppeln. Mit zunehmenden Jahren wurden ihre Köpfe vornehm grau.

Die Zeit liess auf dem alten Holz ihre Spuren. Infolge der „Modernisierung um Schönheit willen" verschwand die Plastizität des Holzes hinter der trostlosen Brettverkleidung und das zarte Schimmern der Espenschuppen wurde vom metallenen Glanz des Dachblechs verdrängt. Die natürliche Schönheit des Holzes schien auf immer verloren zu sein.

Ziemlich stark wurden auch die Innenräume der Kirchen umgestaltet.

Lange Zeit standen die Kirchen in diesem durftigen aber in jener Epoche modischen Schmuck.

Erst 1959 nach 150 Jahren erstanden sie in ihren ursprünglichen Gestalt. In den schweren Nachkriegsjahren (1949-1959) wurden auf der Insel Restaurationsarbeiten unter der Leitung des Architekten A.W. Opolownikow. Befreit von der Brettkapsel atmete das Holz der Kirchen leicht auf und frische Espenschuppen auf den Kuppeln hatten ihre natürliche Farbe wieder.

Aber die Wiederherstellung der Kirchen in ihrer ursprünglichen Schönheit konnte natürlich die Krankheiten des inzwischen alt gewordenen Holzes nicht wegschaffen und Probleme seiner Erhaltung wurden immer akuter.

Die Silhouette des architektonischen Ensembles von Kishi ist weit weg von

Онежского озера. Церковь эту — древнейшее деревянное культовое сооружение, сохранившееся на территории России, можно назвать архитектурной миниатюрой — столь малы ее размеры, гармоничны и изящны простые формы.

Во второй половине XIX века церковь Воскрешения Лазаря стала объектом поклонения и паломничества. Народная молва о „чудодейственной исцелительнице от недугов" привлекала к ней толпы верующих. В связи с этим в 80-годы XIX века „церковь сия была обнесена деревянным футляром".

В 1959 году она была перевезена на остров Кижи и восстановлена.

В экспозиции музея церковь Воскрешения Лазаря занимает особое место, помогая проследить путь становления мастерства зодчих — от простейшей клети до многоглавой композиции Кижского ансамбля.

В центре основной экспозиции музея — часовня Михаила Архангела из деревни Леликозеро (XVII — XVIII вв.).

На фоне неба она четко выделяется двойными уступами крыши и невысокой звонницей, опушенной широкими полицами.

Особенность ее декоративного убранства — в сдвоенности отдельных элементов: окон, подзоров, уступов кровли. Зодчие проявили особое внимание к внешнему виду этой часовни и

The first graphic image of the Church is still intact. It was made by R. Zotov in the summer of 1785, when he was on a trip along Lakes Ladoga and Onego with academician N.Ya. Ozeretskovsky.

In 1876 the first researcher of Russian wooden architecture academician L.V. Dal took measurements of the Church of the Transfiguration.

In 1920 the Kizhi architectural ensemble was taken under the protection of the State.

In 1926 academician I.E. Grabar visited Kizhi Island. His estimation of the architectors' art was high, and he rendered assistance in restoring the interior of Kizhi churches in the following years.

Detailed measurements of the Kizhi churches were made by architect L.M. Lysenko in 1940.

In October, 1945, the Kizhi Pogost was declared a preserve of architecture.

The State historic-architectural and ethnographic museum-preserve „Kizhi" was founded in 1966. But work on preserving and restoring the most valuable objects of wooden architecture began much earlier. The first exhibit — a peasant house — was transferred to the Island in 1951.

The small area of Kizhi Island displays churches, chapels, peasant houses, banyas (Russian saunas), sheds, smithies and other household structures.

They have been brought to the Island from various Karelian villages

der Insel selbst zu sehen. Sie beherrscht die Umgebung und zieht Wasserflächen und Walddichten um sich zusammen.

Beim näheren Zusehen wird es sicherlich nicht schwerfallen, die Vielfalt der architektonischen Silhouettenlösung zu entdecken.

Bald verschmelzen sich die Kirchen zu einer phantastischen Gestalt, bald zeichnet sich jedes Gebäude individuell ab.

Das Volk hat noch eine Sage im Gedächtnis, wonach die schöne. Kirche vom Meister namens Nestor erbaut wurde. Als die Kirche fertig dastand, war ihr Erbauer so entzückt von ihrer Schönheit, dass er die Axt in den Onegasee warf und sagte: „So etwas gab es nicht, gibt es nicht, wird auch nie mehr geben".

Es ist wohl anzunehmen, dass die Namen der unbekannten Zimmerleute für immer ein Geheimnis bleiben werden.

Eigenartige Schönheit der Kirchen von Kishi zieht die Aufmerksamkeit der Gelehrten schon lange auf sich.

Erhalten geblieben ist die erste graphische Darstellung des Ensembles, die von R. Zotow gemacht wurde während seiner Reise zusammen mit dem Akademiemitglied N.J. Oserezkowskij auf dem Ladoga- und Onegasee.

1876 führte der erste Forscher der Architektur des russischen Nordens Akademiemitglied L.W. Dal' Abmessungen der Preobrashenskaja-Kirche aus.

добились художественной выразительности. Она стоит на открытом месте, среди полевых цветов и трав. В лучах солнца переливается ее серебристый лемех, весело играют тени от резных украшений.

Колокольные перезвоны ее звонницы празднично и зазывно оглашают всю округу.

Стремительно взлетевшая ввысь звонница часовни Трех святителей (XVII — XVIII вв.), перевезенной в 1961 году на южный мыс острова Кижи из деревни Кавгора, сначала соперничала с красотой Кижского архитектурного ансамбля: она настойчиво выходила на первый план, мешая своей сильной вертикалью восприятию архитектурного комплекса. Второе переселение часовни оказалось более удачным. Теперь она украшает собой северный конец острова. Молодые еловые заросли и красивый изгиб каменной гряды ("ровницы") пришлись ей впору. Подрастут ели, дотянутся до ее высокого шатра — и почувствует себя часовня как в родной Кавгоре, где она стояла рядом с огромными елями.

На Нарьиной горе — самой высокой точке Кижского острова — находится часовня Спаса Нерукотворного из деревни Вигово (XVII — XVIII вв.). Кижане любовно называют ее „Виговкой". Отсюда хорошо видны кижские шхеры,

and help to recreate the historical background typical of the Kizhi Pogost in the past.

Exhibits of the outdoor museum-reserve acquaint visitors with the ancient culture of Karelia.

The oldest monument of the museum is the Church of the Resurrection of Lazarus. Legends claim that it was erected in the second half of the XIV C. on the south-eastern shore of Lake Onego.

This church, the oldest wooden cultic building in Russia, may rightfully be called an architectural miniature — so small is its size and so gracious its simple forms.

During the second half of the XIX C. the Church of the Resurrection of Lazarus became an object of reverence and pilgrimage.

Mouth-to-mouth stories about „the miraculous healer of maladies" attracted crowds of believers. That explains why in the 1880-s „this here church was surrounded by a wooden casing".

In 1959 the Church was transferred to Kizhi Island and restored.

The Church of the Resurrection of Lazarus occupies a special place among the museum exhibits as it helps to trace the makings of the artistry of folk masters — from the simplest cage-type structure to the multicupola composition of the Kizhi ensemble.

The center of the museum'a main exposition is taken up by the Chapel

1920 wurde das architektonische Ensemble von Kishi unter den Schutz des Staates genommen.

1926 besuchte die Insel Kishi Akademiemitglied I.E. Grabar', der die Kunst der namenlosen Meister sehr hoch eingeschätzt hatte, und half in den darauffolgenden Jahren beim Wiederaufbau der kirchlichen Innenräume.

Ausführliche Abmessungen der Kirchen von Kishi machte 1940 Akademiemitglied L.M. Lissenko.

Im Oktober 1945 wurde der Pogost von Kishi zu einem architektonischen Schutzgebiet erklärt.

Das staatliche historisch-architektonische und etnographische Museum und Schutzgebiet „Kishi" wurde 1966 gegründet, aber die Restauration besonders wertvollen Gebäude begann viel früher. Das erste Denkmal — das war ein Bauernhaus — wurde auf die Insel 1951 gebracht.

Auf dem kleinen Territorium der Insel Kishi sind Kirchen, Kapellen, Wohnhäuser, Saunas, Speicher, Schmieden und andere Bauten vertreten.

Sie sind aus verschiedenen Dörfern Kareliens auf die Insel zusammengetragen zur Schaffung des historischen Hintergrundes, zur Vergegenwärtigung der Geschichte, die Insel durchlaufen hat.

Die Ausstellungsgegenstände des Museums unter freiem Himmel machen die Besucher mit der altertümlichen Kultur Kareliens bekannt.

Das älteste Museumsstück ist die Woskreschenie Lasarja-(Lazarus)

Бригада плотников-реставраторов на острове Кижи. 1957 год

A team of carpenter-restorers on Kizhi Island. 1957

Zimmerem-Restauratoren auf der Insel Kishi. 1957

контуры острова, старинные заонежские деревни в ближайшей округе. Отличительная особенность часовни — точно выверенные пропорции элементов, слитых в единый художественный образ.

Она поставлена на месте часовни Святого Духа, которая сгорела в послевоенные годы. Часовня принадлежала жителям соседней деревни Ямка.

В двух километрах от погоста раскинулась деревня Васильево. Издалека виден изящный силуэт расположенной в ней часовни Успения (XVII — XVIII вв.). Она поставлена на берегу озера, в низине. Приземистый сруб ее словно приник к земле, выдаваясь кверху стройной колокольней и легкой главкой.

of Archangel Mikhail from the village of Lelikozero (XVII-XVIII CC). It's conspicuous against the background of the sky due to its double sloping roof and small belfry lined with wide decorated boards.

The specific feature of its adornment is the doubling of separate elements: windows, spy-windows and the bell tower. The architects paid special attention to the outward appearance of this chapel and achieved artistic expressiveness. It stands in the open surrounded by field flowers and grass. Its silver shingles shimmer merrily in the sun rays reflecting the shadows of carved decor.

The festive chimes of the belfry bells call to one and all in the neighbourhood.

The steeply rising belfry of the Three Saviours' Chapel (XVII-XVIII CC), transferred to the southernmost point of Kizhi Island from the village of Kavgora, at first contended with the beauty of the Kizhi architectural ensemble: it simply forced itself on the foreground, and its sharp verticality disturbed the perception of the architectural complex. The second replacement of the chapel proved to be a success. Young pine copses and the beautiful curve of cliff rock suited it better. When the pines grow, they'll reach the high dome, and the chapel will feel just as much at home as in native Kavgora, where it stood side by side with high pinetrees. Nar'ina Gora is the highest point on Kizhi Island. It's here that

Kirche. Laut mündlicher Überlieferung wurde sie in der zweiten Hälfte des XIV. Jahrhunderts auf der süd-westlicher Küste des Onegasees gebaut. Diese Kirche — eigentlich das älteste kultische Gebäude im ganzen Russland — konnte man architektonische Miniature nennen. So klein ist sie, so harmonisch, so elegant und einfach sind ihre Formen.

In der zweiten Hälfte des XIX. Jahrhunderts wurde die Woskreschenija Lasarja-Kirche zu einem Ort der Pilgerschaft und Anbetung.

Die Gerüchte über die „wundertätige Erlösung von Gebrechen" zog Gläubige in Scharen heran. Aus diesem Grunde wurde „diese Kirche mit einem Holzetui geschützt".

1959 wurde sie auf die Insel versetzt und wiederaufgebaut.

In der Exposition des Museums nimmt die Woskreschenija Lasarja-Kirche einen ganz besonderen Platz ein. An ihr lässt sich das künstlerische Werden der Baumeister von einfachen „Zellenkirchen" bis zur „Rundkirchen", vielköpfiger Komposition des Ensembles von Kishi verfolgen.

Im Zentrum der Hauptexposition des Museums befindet sich die Michaelkapelle aus dem Dorf Lelikosero (XVII. — XVIII. Jhd.).

Auf dem Hintergrund des Himmels sticht sie scharf ab durch den doppelten Dachabsatz und den wegen der hinabsinkenden Ränder klein anmutenden Glockenturm.

Die Eigenheit ihres Dekors zeigt sich in der Verdoppelung einiger Elemente

Впечатление о Кижах становится значительно полнее и глубже после знакомства с памятниками „кижского ожерелья" — так поэтично названы небольшие часовни в деревнях, живописно раскинувшихся вокруг острова, — Корбе, Подъельниках, Волкострове и Воробьях.

Ручное изготовление досок. Плотники-реставраторы Н.И. Степанов и К.П. Клинов. 1950-е годы

Making boards by hand. Carpenter-restorers N.I. Stepanov and K.P. Klinov. The 1950-s.

Manuelle Anfertigung von Brettern. Zimmerleute und Restauratoren N.J. Stepanow und K.P. Klinow. 1950-er Jahre.

you find the chapel of The Immaculate Conception from the village of Vigovo (XVII — XVIII CC). The Kizhi people have given it the pet name of „Vigovka". From here one gets a good view of the Kizhi skerries, the contours of the Island, old Zaonezhye villages in the immediate vicinity. Precisely calculated proportions of all elements that merge into one artistic image is what singles out this chapel.

It was erected on the spot of the Holy Spirit Chapel which burnt down in post-war years. The chapel belonged to the villagers of neighbouring Yamka.

The village of Vasilyevo is spread out two kilometers from the Pogost. From afar you can see the elegant silhouette of the Chapel of the Assumption (XVII — XVIII CC). It's built on the low lake shore. Its thickset log frame seems to have grown out of the earth but its slender belltower and light cupola strive to reach height.

One's impressions of Kizhi are more profound and complete after making a round of the poetically named „Kizhi necklace", which envelops the small chapels in villages, scattered all around the Island, — Korba, Pod'yelniki, Volkostrov and Vorob'i.

On approaching the Island you don't even notice the Chapel of „The Blessing of Virgin Mary" (XVIII C.) in the village of Korba: it hides itself

wie Fenster, geschnitzte Gesimse, Dachabsätze. Die Baumeister strebten danach, dem Exterieur dieser Kapelle künstlerisch möglichst ausdrucksvoll zu gestalten und das hat ihnen gelungen. Sie steht auf einem offenen Platz umrändert von Gras und Feldblumen. Im Sonnenschein schillert das Silber der Espenschuppen, die Holzschnitzerei wirft spielende Schatten.

Das Glockegeläute erklingt in der ganzen Umgebung feierlich und anlockend. Der gen Himmel emporschnellende Glockenturm der Kapelle der Drei Heiligen (XVII. — XVIII. Jhd.) aus dem Dorf Kawgora, die 1961 auf dem südlichen der Insel Kishi aufgestellt wurde, war ihrer Schönheit nach zunächst eine Herausforderung an das ganze architektonische Ensemble von Kishi: Sie rückte aufdringlich in den Fordergrund durch ihre scharf umrissene vertikale Silhouette und zerschnitt das architektonische Ganze des Gebäudenkomplexes. Eine zweite „Umsiedlung" der Kapelle fiel besser aus. Jetzt schmückt sie das anderenördliche-Ende der Insel. Im Dickicht der jungen Tannen neben der schönen Biegung eines Steinstreifens („Rownitza") nimmt sie sich gut aus.

Wenn die Tannen bis zu ihrem Zeltdach hochwachsen, wird sie sich heimisch fühlen wie in Kawgora, wo sie unter riessengrossen Tannenbäumen stand.

Auf dem Narjina-Berg, der höchsten Stelle der Insel Kishi befindet sich die Spas Nerukotworny-(Heiland) Kirche

На подступах к острову сразу заметишь часовню Знамения Богородицы (XVIII в.) в деревне Корба: она притаилась у самой кромки низкого берега. Словно многочисленная свита, бережно охраняют ее вековые ели. Пластично выполненная рубка восьмерика колокольни и красный тес вносят живописность в ее декоративное решение.

Рядом с Корбой расположена деревня Воробьи.

За ней, на вершине крутого холма, поставлена часовня Кирика и Улиты (конец XVIII — начало XIX вв.). Отсюда открываются лесные и водные просторы, хорошо виден Кижский ансамбль.

Кто хоть раз побывал в деревне Подъельники, непременно захочет вернуться сюда вновь. Завораживают, возвращают в детский мир сказки седые ели-великаны и крохотная часовенка Параскевы Пятницы и Варлаама Хутынского (XIX в.), обнесенная высокой оградой из крупных замшелых валунов. Кажется, ничего особенного в ней нет: низкие, словно насупленные брови, свесы крыши; грубовато сработанные резные детали, но как трогает и располагает к себе вечный союз природы и архитектуры! В сопоставлении большого и малого — гиганты ели, громадные валуны и

on the very edge of the low shore. Century-old pines, like a numerous retinue, lovingly stand guard over it. The plastically hewed frame of the chapel octagon, its reddish colour impart picturesqueness to the decorative solution.

Korba's neighbour is the village of Vorob'i.

Behind it, on top of a high hill, stands the Chapel of Kirik and Ulita (the late XVIII and early XIX CC). From here the forest and water expanses and the Kizhi ensemble come to full view in all their glory.

He who has but once visited the village of Pod'yelniki is eager to go back — so bewitching is the scenery that it holds you spellbound. Grey giant pines and the tiny Chapel of Paraskeva Pyatnitsa and Varlaam Khutinski (XIX C.), encircled by a high moss-covered boulder fence, bring back the childish world of Wonderland. There doesn't seem to be anything special about it: low sloping roofs, roughly hewed carved details, but how touching and inviting is the eternal union of nature and architecture! The comparison of large and small — the giant pines, the huge boulders and the tiny chapel — that's what creates the irresistible force of attraction.

A slender rowan-tree at the entrance, the mild but persistent scent of pine, tall cones of juniper bushes and inconspicuous field flowers gladden the eye in summer, while in win-

aus dem Dorf Wigowo, von den Einwohnern der Insel liebevoll „Wigowka" genannt. Von hier aus bietetsich ein schöner Ausblick auf die Insel, auf Kishier Schären, auf alte in der Nähe liegende Dörfer von Saoneshje. Auffallend an dieser Kapelle ist ihre perfekt ausgewogene Komposition aller Elemente, die sich zu einem ganzheitlichen Bild verschmelzen.

Sie steht auf der Stelle der Kapelle des Heiligen Geistes, die in der Nachkriegszeit verbrannt war. Sie gehörte den Einwohnern des benachbarten Dorfes Jamka.

Zwei Kilometer weit vom Pogost liegt das Dorf Wassiliewo. Von fern ist die anmutige Silhouette der dortigen Uspenija (Maria-Himmelfahrt) Kapelle (XVII. — XVIII. Jhd.) zu sehen. Sie liegt am Ufer des Sees in einer Niederung. Ihr niedriges Holzgerüst scheint in der Erde verwurzelt zu sein, während ihr eleganter Glockenturm und leichter Zwiebelkopf so aussehen, als ob sie in der Luft schweben.

Der Eindruck von Kishi wird bedeutend vollständiger und tiefer nach der Bekanntschaft mit den Denkmälern der „Kishier Schmuckkette" — so sind kleine Kapellen in den Dörfern Korba, Pod'elniki, Wolkostrow und Worobji poetisch genannt, die rings um die Insel zerstreut sind.

Beim Annähern zur Insel fällt die Znamenija Bogorodizy (Maria-Verkündigung)-Kapelle (XVIII. Jhd.) im Dorf Korba nicht gleich auf: sie liegt dicht am niedrigen Ufer, umstellt von

крохотная часовенка — ее притягательная сила.

Тонкая нарядная рябинка у входа, нежный, стойкий запах хвои, высокие конусы можжевеловых кустов и неброские полевые цветы радуют летом, а зимой часовенка почти совсем утопает в пушистых сугробах.

Весной оттаивают туго напряженные сплетения еловых корней, создавших на земле замысловатый, крутой узор. Осторожно подбираются они к самой часовенке и некуда даже ступить: повсюду их набухшие жилы. С каждым годом редеет великолепная крона елей: нужна новая живительная сила. И молодая поросль спешит им на смену.

Совсем иное место выбрано зодчими для часовни Петра и Павла (XVII — XVIII вв.) в деревне Волкостров. Стоит она открыто, на виду у всей деревни. В солнечные дни тени от ее многочисленных резных украшений и нарядного гульбища капризно скользят по бревенчатым срубам, временами неподвижно застывая и снова продолжая свое неуловимое движение.

Часовня организует вокруг себя всю разноголосую деревенскую застройку.

О каждой из часовен „кижского ожерелья" можно сказать словами поэта Наума Коржавина:

ter the tiny chapel is quite lost in the fluffy snowbanks.

In summer the closely entwined roots of pine trees thaw, creating a complex pattern on the ground. They cautiously make their way to the very Chapel leaving no footspace: their swollen tendons are everywhere. With each year the splendid crown of pines grows sparser: new vital force is needed. And young shoots are rushing forward to replace them.

The architect chose quite a different site for the Chapel of Peter and Paul (XVII — XVIII CC) in the village of Volkostrov. It stands in the open, visible to the whole village. On sunny days lively shadows of its abundant decor and the resplendent gulbishche lightly skim the surface of the log frame.

The chapel commands the structure plan of the whole village.

Describing any of „the Kizhi necklace" chapels one can quote the words of poet Naum Korzhavin.

„So precise is your
image on the spot.
So badly needed are you here.
That master-made seem you not.
But born of great
Mother-Earth's cheer".

The building experience of the architects is rich and wise. They understood and appreciated the advantage and beauty of wood, they had a perfect grasp of its technical, constructive and decorative possibilities.

hundertjährigen Tannen als Gefolgschaft und Wache. Der plastisch gehaute achtflächige Holzwürfel des Glockenturmes und rote Bretter machen ihre dekorative Ausführung malerisch.

Neben Korba befindet sich das Dorf Worobji.

Dahinter wurde auf der Spitze eines steilen Hügels die Kapelle zu Kirik und Ulita (Ende des XVIII. — Anfang des XIX. Jhd's) aufgestellt. Von hier aus breiten sich Wald- und Wasserweiten, ist auch das Ensemble von Kishi gut zu sehen.

Eine schlanke schmucke Eberesche am Eingang der Kapelle, würziges Geruch vom Nadelholz, hohe Kegel des Wacholders und schlichte Feldblumen versetzen den Besucher in eine stille Freude. Im Winter vergräbt sich die Kapelle fast völlig im flockigen Schnee.

Im Frühling tauen gespannte Verflechtungen der Tannenwurzeln auf, die sich auf der Erde wie verschnörkelte Arabesken ausnehmen. Leise schleichen sie sich dicht an die Kapelle heran und es ist schier unmöglich sie zu umgehen: überall treten ihre geschwollen Adern hervor.

Einen ganz anderen Platz haben die Baumeister für die Peter- und Paulkapelle im Dorfe Wolkostrow ausgesucht. Sie steht auf einer offenen Stelle und ist von allen Seiten her gut zu sehen. An sonnigen Tagen fällt der kontrastierende Schatten von zahlreichen Schnitzereien auf die Balkenwände, hält ab und zu inne, dann aber setzt seine kaum erfassbare Bewegung.

„Так в округе
Твой образ точен,
Так ты здесь для всего нужна,
Будто создана ты не зодчим,
А самой землей рождена."

Богат и мудр строительный опыт зодчих. Они понимали и ценили пользу и красоту дерева, хорошо знали его технические, конструктивные и декоративные возможности.

Жилые крестьянские дома — яркое тому доказательство. Это дома-комплексы, в которых жилые и хозяйственные помещения объединены под общей крышей.

В суровых условиях Севера такая планировка позволяла выполнять большую часть работ по дому, не выходя из него.

Любой крестьянский дом в Кижах напоминает о декоративном искусстве северных крестьян. Радуют глаз резные наличники, причелины, причудливые обрешетки балконов.

В интерьерах обращают на себя внимание филенчатые многоцветные двери, настенные шкафчики с изображением фантастических пейзажей. Когда-то в таких домах шла размеренная жизнь крестьянской семьи с ее хлопотами, печалями и радостями. Каждый предмет напоминает об этом. Все они были необходимы в хозяйстве, а теперь стали музейными экспонатами. Туристы с интересом разглядывают крестьянскую

The peasant dwellings go to prove this point. They are house-complexes, in which living quarters and household spaces are united under one roof.

In the rigid climatic conditions of the North such a layout created the opportunity to do most of the chores without going out of the house.

Any peasant house in Kizhi is remindful of northern peasants' decorative art. How the carved window frames, decorative boards and fanciful balcony parapets gladden the eye!

In interiors the varicoloured paneled doors, wall-cupboards with their fantastic landscape pictures capture attention! There was a time when these houses were witness to everyday life with its happiness and griefs. Each object reminds you of this. All of them were needed in the household, while today they are only museum exhibits. Crowds of tourists display interest in the utensils. Sometimes it's not so easy to guess what this or that thing was for. Now households are no longer in need of wooden ploughs, harrows, scythes, containers for splinters that were used to furnish light, and many other things.

Each object reminds you of the local peasants' backbreaking manual toil.

But regardless of the hardships of peasant life, they couldn't root out the labourer's irrepressible aspiration for beauty and his desire to create it with his own hands.

Erst durch sie werden architektonisch bunt zusammengewürfelte Bauernhäuser zu einer Einheit zusammengefügt.

Über jedwede der Kapellen der „Kishier Schmuckkette" lässt sich mit den Worten des Dichters Naum Korshawin wie folgt sagen:

„ Du bist in dieser
Gegend unentbehrlich
Deine Gestalt passt in sie genau
hinein, Als ob du nicht von
Menschen Hand geschaffen, —
Sondern von der Erde selbst geboren
worden warst".

Reich und weise ist das Können der Baumeister. Sie wussten es, Nutzen und Schönheit des Holzes zu schätzen, kannten bis aufs kleinste seine technische, konstruktive und dekorative Möglichkeiten.

Ein schlagender Beweis dafür sind Bauernhäuser. Jedes Haus ist ein Baukomplex, wo sich unter einem Dach sowie Wohn- als auch Wirtschaftsräume befinden.

Derartige Architektur des Bauernhauses ermöglichte im harten Klima des Nordens die meisten Hausarbeiten zu verrichten, ohne das Haus zu verlassen.

Ein beliebiges Bauernhaus in Kishi repräsentiert die dekorative Kunst der nordischen Bauern. Geschnitzte Fensterverkleidungen, Fensterbretter, ungewöhnliche Balkonholzgitter sind eine wahre Augenweide.

In Innenräumen fällen vielfarbige Türfüllung, Wandschränke verziert mit phantastischen Landschaften.

утварь. Не всегда сразу догада-
ешься о назначении отдельных
предметов. Теперь не нужны в хозяйстве деревянные сохи, бороны-
суковатки из тонких еловых ство-
лов; косы-горбуши, светцы для
держания лучины; вальки, рубели
для стирки и глажения белья;
мялки, вьюхи, броснухи для
обработки шерсти, конопли и
льна... Все это — живая память об
изнурительном ручном труде
местных крестьян.

Но как ни тяжелы были условия
крестьянской жизни, они не
смогли искоренить в человеке
неудержимого стремления к
красоте и желания создавать ее
своими руками.

Музей „Кижи" хранит
прекрасные образцы народного
творчества: вышивки, ткачества,
резьбы и росписи по дереву.

От рождения до смерти крестьянина сопровождали эти предметы.

Но, пожалуй, ни одно орудие
труда не создавалось с такой
любовью, как прялка. И это
неспроста: отец дарил прялку
дочери, жених — невесте, муж —
жене. Формы прялок в Карелии
разнообразны, в зависимости от
места их изготовления. В экспозиции музея есть узкие весло-
видные карельские прялки;
широкие удлиненные —
пудожские и вепсские; ажурные
прорезные — поморские;
фигурные, украшенные

The Kizhi Museum preserves won-
derful examples of popular art:
embroidery, weaving, carving and
painting on wood.

All these objects surrounded the
peasant from birth to death.

But it's doubtful whether any thing
was created with more love than the
spinning wheel. And it's easy to
understand why: they were presents
given by father to daughter, a young
man to his betrothed, by husband to
wife. The shapes of Karelian spinning
wheels differ, depending on where
they were made. The museum has

За прялкой

At the spinning wheel

Am Spinnrad

In früheren Zeiten ging in solchen
Häusern ein geregeltes Leben der
Bauernfamilie mit ihren Sorgen, mit
ihrer Trauer und Freude vorsich hin
Jeder Gegenstand erinnert uns daran.
Früher waren unentbehrlich in der
Bauernwirtschaft, nun sind sie
Museumsexponate geworden.

Mit Interesse betrachten Touristen das
Hausgerät. Nicht gleich und nicht immer
kommt man dahinter, welche
Bestimmung einige Gegenstände haben.
Kein Wunder: wer wird jetzt
Hackenpflüge, aus dünnen
Tannenstämmen gearbeitete Eggen,
gekrümmte Sensen, Hälter für den
Kienspan, Waschbleuel und Mangelholz,
verschiedenes Gerät zur Bearbeitung
von Wolle, Hanf und Flachs mehr
gebrauchen müssen? Jetzt sind sie nur
Beweise einer zehrenden manuellen
Arbeit der hiesigen Bauern.

Wie schwer das Bauernleben auch
sein mochte, konnte es den unhaltsamen
Drang nach Schönheit und den Wunsch,
sie mit eigenen Händen zu schaffen,
nicht ausmerzen.

Das Museum „Kishi" bewahrt wun-
derschöne Muster der volkstümlichen
Kunst: der Stickerei, Weberei,
Tafelmalerei.

Diese Gegenstände begleiteten den
Bauern von der Geburt bis zum Tode.

Aber kein einziges Gerät wurde mit so
viel Liebe gemacht wie Spinnrocken.
Und das nicht umsonst: der Vater
schenkte den Spinnrocken seiner
Tochter, der Bräutigam — seiner Braut,
der Ehemann — seiner Frau. Die

разноцветными „букетами", — заонежские прялки.

Вышивка и ткачество мастериц разных районов Карелии также во многом отличаются. Никогда не спутаешь плотные, плавно круглящиеся, часто многоцветные композиции пудожских вышивок с геометризованными растительными узорами на свободном фоне, присущими карельской и вепсской национальной вышивке.

Особенно славилась заонежская вышивка. Еще в дореволюционные годы она успешно экспонировалась на международных ярмарках и выставках. Заонежанка Авдотья Павлова и олончанка Татьяна Риккиева за свои работы были награждены Большими серебряными медалями на Всемирной выставке в Париже в 1902 году.

Берестяные туеса и кошели, солонка, подкотельники, деревянная долбленая и точеная посуда, многие бытовые функциональные предметы сработаны настолько мастерски, что стали своеобразными предметами искусства.

Народное прикладное творчество — неразрывная часть самобытной крестьянской культуры, которая бережно хранится в Кижском музее-заповеднике.

... Многое испытали древние кижские церкви за долгие годы. Пронзительный "сиверик", ливневые дожди, грозы, зимние стужи и жаркое солнце оставили на срубах

several kinds on display: narrow oar-type Karelian spinning wheels; wide and elongated — from Pudozh and those belonging to the Veps people; open-worked carved — from the White Sea coast; figured and painted with motley flowers — spinning wheels from Zaonezhye.

The embroidery and weaving by women from different parts of Karelia also vary greatly. Never can you confuse the tightly woven, often multi-coloured compositions of Pudozh embroidery with that of Karelian national embroidery which is geometrically floralpatterned on a clear background.

Zaonezhye embroidery enjoyed special popularity. Already in prerevolutionary years it was displayed at international fairs and exhibitions. Avdotya Pavlova from Zaonezhye and Tatyana Rikkieva from Olonets were awarded Big silver medals at the world exhibition in Paris, in 1902.

Birchbark jars and knapsacks, salt-cellars, potstands, wooden hand hollowed and whetted dishes and many other functional household utensils are made so masterfully, that today they are regarded as works of art in their own right.

Popular applied art is an inalienable part of original peasant culture lovingly cherished in the Kizhi Museum reserve.

... Throughout the years the ancient wooden frames have endured many a trial: piercing northern winds,

Formen der karelischen Spinnräder ist vielfältig je nach dem Ort ihrer Herstellung. In der Exposition des Museums gibt es enge ruderförmige — karelische; breite längliche — von Pudosh und wepsische; durchbrochene — von der Küste des Weissen Meeres; mit bunten „Blumensträuchen" verzierte — die von Saoneshje.

Nicht geringer unterscheiden sich Stickerei und Weberei aus verschiedenen Gegenden Kareliens. Es ist unmöglich, die leicht abgerundete, dichte des öfteren vielfarbige Kompositionen der Stickereien von Pudosh mit den geometrischen und pflanzlichen Ornamenten auf dem blanken Feld der karelischen und wepsischen nationalen Stickerei zu verwechseln.

Einen besonderen Ruhm genoss die Stickerei von Saoneshje. Vor der Revolution wurde sie erfolgreich in internationalen Ausstellungen exponiert. Awdotja Pawlowa aus Saoneshje und Tatjana Rikkiewa aus Olonez wurden für ihre Arbeiten mit Grossen Medaillien in Silber in der Weltausstellung in Paris 1902 ausgezeichnet.

Birkenkörbe, Birkenbeutel, Salzdosen, Holzgeschirr und viele andere Gegenstände aus dem Hausgebrauch sind so meisterhaft ausgeführt, dass sie wie Kunstwerke anmuten.

Volkstümliche angewandte Kunst ist ein unzertrennlicher Teil der urwüchsigen bäuerlichen Kultur, die im

свои раны. Избавить кижские памятники от недугов времени пытаются опытные реставраторы, инженеры, химики России и зарубежных стран. Главное внимание ученых направлено на сохранение Преображенской церкви: вернуть ей силы, помочь преодолеть столетия.

12 декабря 1990 года Кижский архитектурный ансамбль был включен ЮНЕСКО в Список памятников Всемирного культурного наследия. В конце 1992 года ЮНЕСКО внесло Преображенскую церковь в Список аварийных объектов, требующих проведения срочной реставрации.

Музей „Кижи" молод и находится в стадии своего становления. Развитие его осуществлялось по генеральному плану, разработанному до 2000 года, но время вносило существенные коррективы в осуществление задуманного.

В понятие „Кижи" включен сложный комплекс, в который входят не только памятники архитектуры, археологии, но и уникальная природа, многогранная хозяйственная деятельность, туристические потоки, сохранение крестьянской культуры.

Кижи! Со всех концов мира едут сюда люди. Разноязычен их говор, но мнение едино — такого не увидишь нигде!

heavy downpours, storms, winter frosts and the hot sun — they've all left their scars multiplied by woodlice and fungus. Experienced restorers, engineers and chemists from Russia and abroad at work striving to relieve the monuments of their illnesses.

The Church of the Transfiguration is in the center of attention scientists are doing their best to help the Church to retrieve its strength and overcome centuries.

On December 12, 1990, UNESCO included the Kizhi architectural ensemble in the List of world cultural heritage monuments. At the end of 1992 UNESCO added the Church of the Transfiguration to the List of emergency objects, requiring immediate restoration.

The Museum is young and is still in a stage of creation. The general plan for its development provides for work up to the year 2000. But time has introduced substantial changes.

The concept „Kizhi" envelops an intricate complex, involving not only monuments of architecture, archeology, but also unique nature, versatile economic activity, streams of tourists, the preservation of peasant culture.

Kizhi! People from every corner of the world keep coming here. They speak different languages but all agree on one point: Kizhi is incomparable!

In recent years Kizhi has become the site of colourful folk festivals and Days of folk handicraft.

Museumreservat „Kishi" aufbewahrt wird.

Vieles haben die alten karelischen Dörfer zeit ihres Bestehens durchgemacht. Der durch Mark und Bein gehende „Siwerik"-Wind, Regengüsse, Gewitter, Winterkälte und heisse Sonne hinterliessen auf Holzgerüsten ihre Narben. Holzkäfer und Holzschwämme setzten die zerstörende Arbeit fort. Erfahrene Restauratoren, Ingenieure, Chemiker Russlands und die des Auslandes versuchen die Denkmäler von Kishi vor Gebrechen des Holzes zu retten. Ihr Hauptziel ist die Erhaltung der Preobrashenskaja-Kirche: sie muss stark genug sein, um Jahrhunderte zu bestehen.

Am 12. Dezember 1990 wurde das architektonische Ensemble von Kishi in die Liste der Denkmäler der kulturellen Erbe vom Weltrang von UNESCO aufgenommen. Ende 1992 wurde die Preobrashenskaja-Kirche in die Liste der Notstaatsobjekte von UNESCO aufgenommen, die dringend restauriert werden müssen.

Das Museum „Kishi" ist jung, es ist noch im Werden. Seine Entwicklung erfolgt nach dem bis zum Jahre 2000 gültigen Generalplan, der von der Zeit allerdings wesentlich berichtigt wird.

Das Wort „Kishi" bedeutet nicht nur Denkmäler der Architektur und Archäologie, sonder auch einzigartige Natur, mannigfältige wirtschaftliche Tätigkeit, Erhaltung der Bauernkultur, Touristenströme.

В последние годы остров Кижи стал местом проведения красочных фольклорных праздников и Дней народных ремесел.

С раннего утра съезжаются сюда гости, постепенно наполняя остров разноцветьем старинных нарядов, дробью кадрильного перепляса, задушевной протяжной песней или задиристой частушкой под озорной перебой гармошки.

Вместе с молодежью пляшут участницы праздника. Танец словно вернул им молодость, одарил радостью воспоминания. Какая в них вдруг появляется стать и грация! Им памятны все движения, сложные переходы и бесконечные чередования в парах... Это само время укрепило и сейчас выплеснуло на мягкую зеленую поляну, раскинувшуюся перед кижским архитектурным анасамблем, их мастерское владение пляской и песней.

Смотришь на этих убеленных сединой женщин — и видишь красных девиц на веселой деревенской посиделке...

Постепенно в затейливый хоровод вплетаются и зрители — люди разных национальностей и возрастов. Хоровод разрастается, становится все шире с прибытием новых гостей. И вот наступает момент, когда здесь уже нет зрителей — все стали участниками праздника!

From early morning guests begin to arrive, gradually filling up the Island with people in multicoloured ancient costumes. They bring with them the enticing sounds of long drawn-out songs, the perky „tchastoushkas" sung to the merry accompaniment of a bayan and, of course, the regular stomping of feet in a quadrille.

On a par with young people elderly participants of the Festival join in the dancing. The dance seems to have returned them their youth, happy reminiscences. All of a sudden they regain their posture and grace! They remember each movement, the difficult passages and endless changing of partners... Time itself has replenished their masterful dancing technique and singing and splashed them out on the soft green field, stretching out in front of the Kizhi architectural ensemble.

Looking at these white-haired women you see beautiful young girls who have just come to the village get-together.

Little by little spectators are drawn into the complicated round-dance — they belong to various nationalities and represent all age groups. With the arrival of new visitors the ring keeps expanding and the moment comes, when no spectators remain — one and all has become participant of the festivities!

With each year more and more local and foreign professional and amateur groups display their skill on Kizhi Island.

Nach Kishi kommen die Menschen aus allen Enden und Ecken der Welt. Sie sprechen verschiedene Sprachen, aber sie sind der gleichen Meinung: so etwas siehst du nirgends!

In den letzten Jahren wurde die Insel Kishi zu einer Stätte der farbenreichen folkloristischen Festspiele und der Tage des Volksgewerbes.

Schon früh morgens kommen hier Gäste zusammen und die Insel wird plötzlich farbenreich von bunten Nationaltrachten. Die Atmosphäre des Festes herrscht überall: dort, wo Quadrille getanzt wird und dort, wo ein gemütvolles und gedehntes Lied gesungen wird und dort, wo lüstige Tschastuschkas erschallen.

Zusammen mit den Jugendlichen tanzen auch alte Leute. Der Tanz verjungte sie, schenkte ihnen jugendlichen Schwung. Und wie graziös, wie imposant sind sie auf einmal geworden! Sie wissen wieder, wie man mit komplizierten Tanzfiguren und Tanzschritten fertigt wird. Diese zum Konzertpodium gewordene smaragdrüne Wiese vor dem architektonischen Ensemble von Kishi, diese Atmosphäre des Festes und der Heiterkeit beflügelten alte Leute, inspirierten sie zu einem gekonnten Gesang und Tanz. Und wenn man dabei diese silberhaarige Frauen ansieht, so entdeckt man plötzlich in ihnen schöne junge Mädchen an einem Dorffest...

Langsam werden in den Reigen auch die Zuschauer hingezogen. Das sind Menschen verschiedenen Alters und verschiedener Nationalitäten. Und da

С каждым годом все большее число местных и зарубежных народных и профессиональных коллективов показывает свое мастерство на Кижском острове.

Карельские, русские, вепсские, финские, эстонские, литовские, латышские, марийские, немецкие песни и танцы; нежные звуки древнего кантеле, руны „Калевалы" радуют гостей и хозяев.

Очень колоритны и праздники народных ремесел на острове, во время которых можно научиться многому у бывалых мастеров и мастериц. Старейшие плотники музея на глазах у многочисленных зрителей ловко превращают массивные осиновые чурки в легкие золотистые пластины лемеха. Рядом опытный мастер шьет лодку-кижанку. А поодаль, в тесном окружении толпы, заонежские вышивальщицы выводят иглой-тамбуркой замысловатые узоры красной нитью по белому полотну. Тонкую, ровную нить тянет пряха. Мерно снует в руках молодой ткачихи юркий челнок. Ворох пушистой шерсти растет на глазах изумленных туристов после ее обработки на щетинистых кардах.

Пожилой рыбак ловко плетет сеть с мелкой ячеей, а где-то рядом для туристов изукрасят матрешку, снимут с гончарного круга хрупкий горшочек или слепят звонкую

Karelian, Russian, Veps, Finnish, Estonian, Mari, German songs and dances, melodious sounds of the kantele, runas from „Kalevala" delight both hosts and guests alike.

The folk handicraft festivals held on the Island are just as colourful. They give visitors a chance to learn the crafts under the instruction of skilled masters. In the presence of numerous visitors old Museum carpenters split huge aspen blocks making golden shingles out of them. Next to them there's an old master making a Kizhanka boat. And not so far off a close circle of visitors is watching Zaonezhye embroidresses engaged in their exquisite needlework making fantastic figures on white linen. A spinstress is making long even yarn: the shuttle in her hands moves as if by magic.

An elderly fisherman is making a net. Somewhere closely you'll find a master to paint a „Matryoshka" for you, or have a potter take a piece of ceramics off his wheel for you, or make a piercing toy-whistle. The visitors are greatly attracted by the fanciful figures and ornaments made out of birchbark.

In recent years participants of the Museum folklore group have breathed new life into old rites, songs, dances, folk games and fun. Kizhi children dance and play games side by side with their farthers and mothers. This will never let traditions die.

The Kizhi museum workers are constantly mastering new types of

kommt der Augenblick, wo es keine Zuschauer mehr gibt. Alle sind Teilnehmer des Festes geworden!

Mit jedem Jahr wächst die Anzahl der hiesigen und ausländischen Volks- und Berufskünstler, die ihre Meisterschaft auf der Insel Kishi zeigen.

Gäste und Gastgeber haben ihre Freude an der Darbietung karelischer, russischer, wepsischer, finnischer, estischer, litauischer, lettischer, marischer, deutscher Lieder und Tänze, der Runen von „Kalewala", am zarten Klang des altertümlichen Musikinstrumentes „Kantele".

Einfach farbenprächtig sind auf der Insel die Feste des Volksgewerbes, wo man unter anderem bei erfahrenen Meistern und Meisterinnen auch viel lernen kann. Die ältesten Zimmerleute des Museums verwandeln vor aller Zuschauer Augen massige Espenklötze in leichte goldfarbige Schindeln. Daneben arbeitet ein gewiegter Meister am Kishanka — Boot. Ein Stückchen weiter verzieren die Stickerinnen von Saoneshje mittels der Tamburka — Nadel das weisse Leintuch mit komplizierten Ornamenten aus dem roten Faden. Und das — unterm grossen Andrang der Zuschauer. Einen feinen, gleichmässigen Faden zieht die Spinnerin. In gemessenem Tempo schert das Schiffchen in den Händen einer jungen Weberin. Ein ganzer Haufen flauschiger Wolle wächst vor erstaunter Zuschauer Augen, indem sie die Arbeit borstiger Karden verfolgen.

свистульку. Особый восторг вызывают забавные берестяные фигурки и украшения.

В последние годы участники фольклорной группы музея вдохнули новую жизнь в старинные обряды, песни, танцы, народные игры и забавы. Рядом с мамами и папами шумно и восторженно пляшут и играют кижские дети, что не дает угаснуть традициям.

Все новые и новые виды народного искусства осваивают сотрудники кижского музея. Дивные узоры, выведенные золотой и серебряной нитью, пламенеют на мягком бархате в руках золотошвей. Яркой радугой обовьют шею девицы-красавицы бисерные бусы, кропотливо нанизываемые молодой мастерицей. Здесь же одной иглой вяжут теплые, добротные, как валенки, рукавицы и носки без пятки для „вечной" носки. Искусство вязания одной иглой — старинный способ мужского рукоделия. В таких рукавицах и носках не страшна зимняя стужа для рыбаков и охотников.

Музей живет напряженной жизнью. Неустанная забота о сохранности народного достояния — главная задача его сотрудников. Тщательно изучают они этнографические коллекции, заботливо оберегают экспонаты. Художники-реставраторы возвращают к жизни прекрасные

folk art. Beautiful patterns, sewn in gold and silver, stand out on soft velvet like flames in the hands of embroideresses. A brilliant rainbow made of little beads by a young painstaking craftswoman will entwine the neck of a young beauty. Here you can also see how, with the help of a needle, top quality mittens and socks without heels are made to last „for ever". They are no worse than the famous Russian felt boots — „valenki". The art of knitting with a needle is old masculine handicraft. In such mittens and socks fishermen and hunters fear no winter frosts.

The Museum leads a full and tense life. It's main concern is never-ending care for the safety of national property. The museum workers make minute studies of the ethnographic collections, see to it that every exhibit is in place. Restoration artists breathe life into beautiful Northern icons, which are priceless documents of the past.

Discovering the greatness of the past helps to establish faith in the future.

Kizhi brings this notion home to one and all.

New monuments of wooden architecture, exhibitions, expositions and folklore festivals await visitors in Karelia on the ancient Island.

Boyar — member of a Russian aristocratic order possessing many exclusive privileges, abolished by Peter the Great.

Ein bejahrter Fischer flechtet geschickt ein feinmaschiges Fangnetz und nebenan wir den für Touristen Matrjoschkas bemalt oder auf der Töpferscheibe Töpfe oder klangvolle Pfeifen gemacht. Besonders ansprechend sind komische Figuren und Schmuck aus Birkenrinde. In den letzten Jahren hauchten die Mitglieder der Volkloregruppe des Museums ein neues Leben in altertümliche Bräuche, Lieder, Tänze, Volksspiele und Volksbelustigungen. Neben Müttern und Vätern tanzen und spielen begeistert und lärmvoll die Kinder von Kishi, d.h. die Traditionen werden weiterbestehen.

Immer neue Arten der Volkskunst machen die Mitarbeiter des Museums zu eigen. Wunderschöne von Goldnäherinnen ausgeführte Ornamente glühen von Gold und Silber auf dem weichen Samt. Wie ein vielfarbiger Regenbogen glänzt auf dem Halse einer jungen Schönheit Glasperlen, die von einer jungen Meisterin mühsam aufgereiht worden. Hier werden mit einer einzigen Nadel warm wie Filzschuhe gediegene Handschuhe und Socken ohne Ferse auf „ewig" gestrickt. Die Stickerei mit einer einzigen Nadel ist ein alter männlicher Handwerk.

In diesen Handschuhen und Socken haben Fischer und Jäger keine Angst vor Winterkälte.

Das Museum führt eine anstrengende Arbeit. Unermüdliche Sorge um die Erhaltung des Volkseigentums ist die vorrangige Aufgabe seiner Mitarbeiter. Sie studieren sorgfältig die etnographi-

иконы северного письма — ценнейшие документы минувшего времени.

В познании величия своего прошлого люди обретают веру в будущее.

В Кижах это осознание особо ощутимо.

Новые памятники деревянного зодчества, выставки, экспозиции и фольклорные праздники ожидают гостей Карелии на земле древнего острова.

Posadnitsa — the wife of a *posadnik* — the governor appointed by a prince to look over his property in various parts of the country.

Pogost — 1 rural cemetery; 2 a. rural church with cemetery and surroundings; 3 a. roadside inn.

Streltsi — national guard soldiers under Peter the Great.

Ukaz — the highest Russian governmental decree.

Pistsovaya kniga — annals.

Izba — a wooden peasant house.

Gulbishche — a balcony encircling part of the peasant house.

sche Kollektionen, achten aufmerksam auf die Exponate. Die Restauratoren rufen ins Leben schöne Ikonen der nördlichen Schule zurück als unschätzbare Dokumente der Vergangenheit.

In Erkenntnis der Grösse ihrer Vergangenheit wurzelt der Glaube der Menschen an ihre Zukunft.

In Kishi kommt man sofort auf diesen Gedanken.

Neue Denkmäler der Holzarchitektur, neue Ausstellungen, neue Feste der Volklore erwarten Gäste Kareliens auf dem Boden der altertümlichen Insel.

33

Кижские шхеры · Kizhi skerries · Die Schären um Kishi

Загадочна и нежна мелодия летнего утра   *A summer morning's melody is mysterious and sweet*   *Rätselhaft und zart ist die Melodie der sommer-lichen Morgendämmerung*

37

На утренней зорьке　　　　　　　　At dawn　　　　　　　　Beim Angeln in der Morgenröte

В солнечной дымке   *In the haze of the sun*   *Im Sonnendunst*

Остров Кижи узнаваем издалека   *You can recognize Kizhi Island from afar*   *Die Insel Kishi ist von fern leicht erkennbar*

Архитектурный ансамбль „Кижский погост"   The Kizhi Pogost architectural ensemble   Das architektonische Ensemble von Kishi

Многоголосье Преображенской церкви   *The polyphony of the Church of Transfiguration*   *Vielstimmigkut der Preobrashenskaja-Kirche*

Колокольня Кижского погоста   *The Kizhi Pogost bell-tower*   *Glockenturm*

Угловая башня ограды Кижского погоста   *The corner tower of the Kizhi Pogost fence*   *Eckturm des Kishier Pogostzauns*

Серебряная музыка куполов уносится в небо

The silvery music of the domes carries into the skies

Silberne Melodie der Kirchenkuppeln schwingt sich in die Höhe

49

54

Кижские ландшафты　　　　　　　　*Kizhi landscapes*　　　　　　　　*Die Landstrasse von Kishi*

Дом крестьянина Ошевнева из д. Ошевнево

The house of peasant Oshevnev from the village of Oshevnevo

Das Haus des Bauern Oschewnew aus dem Dorf Oschewnewo

Перед грозой   Before a storm   Das Gewitter im Anzug

Медовые запахи кижских лугов забыть невозможно

The honeyed scents of the Kizhi meadows are unforgettable

Honiggerüche der Wiesen von Kishi sind unvergesslich

Церковь Воскрешения Лазаря из Муромского монастыря

The Church of the Resurrection of Lazarus from the Muromsk monastery

Die Lazaruskirche aus dem Kloster von Murom

Часовня Михаила Архангела из д. Леликозеро

The Michael Archangel Chapel from the village of Lelikozero

Die Erzengelkirche aus dem Dorf Lelikozero

62

Дом крестьянина Яковлева из д. Клещейла

The house of peasant Yakovlev from the village of Kleshcheila

Das Haus des Bauern Jakowlew aus dem Dorf Kleitschela

Усадьба дома Яковлева   *The Yakovlev farmstead*   *Das Hofland des Bauern Jakowlew*

Остров Кижи веками празднуем Лето

For centuries the Kizhi Island has celebrated Summer

Die Insel Kishi feiert jahrhundertelang deu Sommer

Гости праздника приезжают издалека   *Guests to the festivities come from afar*   *Gäste kommen zum Fest aus weiter Ferne*

Танец под музыку Лета   Dancing to the music of Summer   Ein Tanz mit musikalischer Begleitung des Sommers

На глазах восхищенных зрителей рождается берестяная сказка

A wonder made of birch is born in the eyes of enraptured audiences

Vor Augen entzückter Zuschauer entsteht ein Wunderwerk aus Birkenrinde

Виола Мяльми, душа кижских фольклорных
праздников

Viola Malmi, the soul of Kizhi folklore festivities

Viola Mjalmi ist die Seele der Folklorefeste von Kishi

Рукодельницы   *Needle-women*   *Handarbeiterinnen*

Вечереет   *Evening is coming*   *Abenddämmerung*

Вырастает из тумана мельница   *A windmill grows out of the fog*   *Die Mühle erwächst gleich aus dem Nebel*

Проселочная дорога уводит в даль　　　*The country road can take you far away*　　　*Die Landstrasse zieht sich in die Ferne*

*На восточном берегу острова раскинулась
деревня Ямка*

*The village of Yamka spreads out on the eastern
shore of the Island*

*Auf der östlichen Seite der Insel liegt das Dorf Jamka
hingebreitet*

Субботний день — это прежде всего баня   *A Saturday means sauna*   *Am Samstag wird die Sauna grossgeschrieben*

Ветряная мельница из д. Вороний остров   *The windmill from the village to Vorony Ostrov*   *Die windmühle aus dem Dorf Woronij Ostrow*

Жизнь на острове невозможна без лодки   *You can't get along on the island without a boat*   *Das Boot ist für das Leben auf einer Jnsel unent-*
behrlich

В ожидании ветра   *Waiting for the wind*   *In Erwartung des Windes*

Покой Кижского кладбища   *The tranquillity of the Kizhi cemetery*   *Auf dem Friedhof ist Ruh'*

Предвечерняя тишина   Silence sets in before night   Dämmerungsstille

Медленно угасает летнее солнце   *The summer sun goes out slowly*   *Langzam erlöseht die Sonne im Sommer*

Радуга   *A rainbow*   *Regenbogen*

В солнечном тумане   *In the haze of the sun*   *Im Sonnennebel*

Часовня Спаса Нерукотворного из д. Вигово

The Chapel of the Divine Saviour from the village of Vigovo

Die Heilandkapelle aus dem Dorf Wigowo

Художник Солнце рисует чудо   *Maestro Sun is drawing a wonder*   *Der Künstler Sonne schafft ein Wunder*

Белой ночью   *On a white night*   *Weisse Nacht*

Дом крестьянина Сергина из д. Мунозеро

The house of peasant Sergin from the village of Munozero

Das Haus des Bauern Sergin aus dem Dorf Munosero

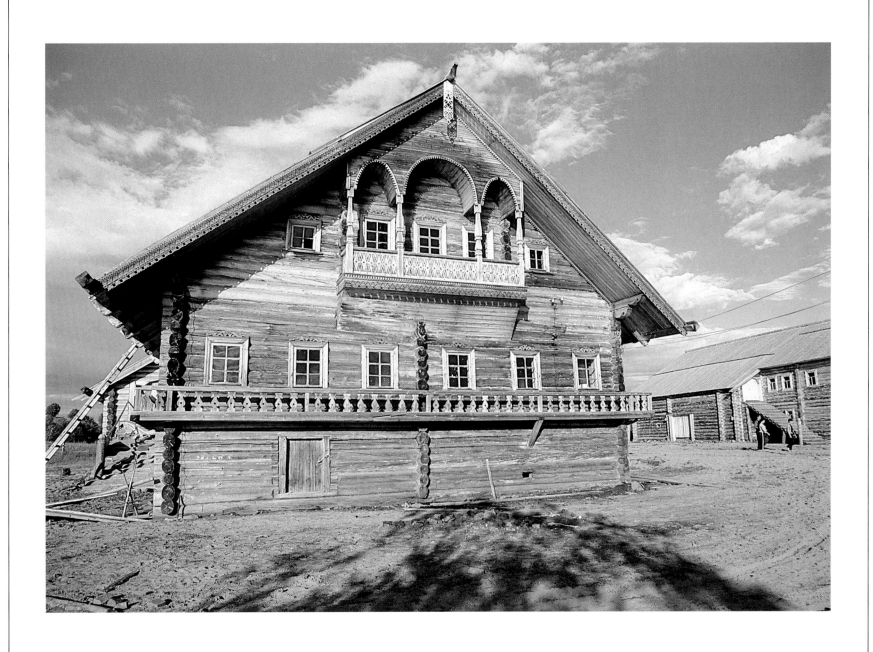

Дом Сергеева в д. Васильево   *The house of Sergeyev from the village of Vasilyevo*   *Das Haus Sergeews im Dorf Wassiliewo*

Часовня Успения Богоматери в д. Васильево

The Chapel of the Assumption of Virgin Mary from the village of Vasilyevo

Die Maria-Himmelfahrt-Kapelle im Dorf Wassiliewo

Деревня-резерват Васильево (сектор „Русские Заонежья")

The museum-reserve village of Vasilyevo (the section „Russian Zaonezhye")

Das Reservatdorf Wassiliewo (die Abteilung „Das russische Saoneshje")

Сумерки   *Twilight*   *Abenddämmerung*

Кижский архитектурный ансамбль виден с любой точки острова

The Kizhi architectural ensemble is visible from any point of the Island

Das architektonische Ensemble von Kishi ist von allen Teilen der Insel zu sehen

Дом Бутина расположен в секторе „Русские Пудожья"

The Butin house is in the centre of „Russian Pudozhya"

Das Haus Butins liegt in der Abteilung „Die Russen von Pudoshje"

Дом Поташева   The Potashev house   Das Haus Potaschews

Непостижима игра красок карельского неба

The play of colours in the Karelian sky is unfath-omable

Unfassbar ist das Farbeuspiel des karelischen Himmels

Утреннее пробуждение   *Morning is awakening*   *Morgendliches Erwachen*

Часовня Трех Святителей из д. Кавгора

The Three Saviours' Chapel from the village of Kavgora

Die Kapelle der drei Heiligen aus dem Dorf Kawgora

Наступающий вечер   *Night is advancing*   *Nun ist schon Abend*

Часовня Кирика и Улиты из д. Воробьи

The Kirik and Ulita Chapel from the village of Vorob'i

Die Kapelle von Kirik und Ulita aus dem Dorf Worobji

Часовня Дмитрия Солунского в д. Еглово
приютилась у самой воды

*The Dmitri Solunski Chapel from the village of
Yeglovo is nestling at the water's edge*

*Die Kapelle von Dmitrij Solunskij im Dorf Eglowo
liegt dicht am Wasser*

Часовня Петра и Павла из д. Типиницы
(Бережная) на о. Гоголев

*The Peter and Paul Chapel from the village of
Tipinutsy on Gogolev Island*

*Die Peter- und Paul- Kapelle aus dem Dorf Tipinizy
(Bereshnaya) auf der Insel Gogolew*

Кижские туманы
        Kizhi fogs
        Kishi im Nebel

Преображенская церковь просыпается вместе с солнцем

The Church of the Transfiguration wakes up with the sun

Die Preobrashenskaja-Kirche erwacht mit dem Sonnenaufgang

До свидания, Кижи. До встречи, Онего.   Good-bye, Kizhi! Till we meet again, Onego!   Auf Widersehen Kishi. Aus Wiedersehen Onego

Кижи. Прогулка по острову: фотоальбом.
Гущин Б.А., Гущина В.А. — текст.
Грицюк В.П. — фото. — Петрозаводск
АО „Карпован сизарексет", 1994. — 128 с., илл.
Редактор издания В. Старостин
Подписи под фото И. Бакулиной
Технический редактор М. Родионова
Компьютерная верстка
С. Медведевой, О. Ермоленко
Корректор И. Бакулина

Лицензия ЛР № 070496 от 8.05.92
Сдано в набор 21.12.93
Подписано в печать 1.03.94
Формат 60×90/8 Бум. Lumiart
Печать офс. Гарнитура Респект, Таймс
Усл. печ. л. 14,4. Уч.-изд. л. 16,1

АО „Карпован сизарексет"
Россия, Карелия, 185007, Петрозаводск, а/я 19
Отпечатано Finnreklama Oy Sulkava Suomi
(Finland)